D1209745

Incitations

nouvelles érotiques

Maquette intérieure : Luisa da Silva
Infographie : Chantal Landry

Catalogage avant publication de
Bibliothèque et Archives nationales du Québec
et Bibliothèque et Archives Canada

Cecilia
Incitations

ISBN 978-2-89117-069-7

I. Titre.

PS8605.E32I54 2010 C843'.6 C2009-942778-8
PS9605.E32I54 2010

01-10

Dépôt légal : 2010
Bibliothèque et Archives nationales du Québec

ISBN 978-2-89117-069-7

DISTRIBUTEURS EXCLUSIFS :

- Pour le Canada et les États-Unis :
  MESSAGERIES ADP*
  2315, rue de la Province
  Longueuil, Québec J4G 1G4
  Tél. : 450 640-1237
  Télécopieur : 450 674-6237
  Internet : www.messageries-adp.com
  * filiale du Groupe Sogides inc.,
  filiale du Groupe Livre Quebecor Media inc.

- Pour la France et les autres pays :
  INTERFORUM editis
  Immeuble Paryseine, 3, Allée de la Seine
  94854 Ivry CEDEX
  Tél. : 33 (0) 1 49 59 11 56/91
  Télécopieur : 33 (0) 1 49 59 11 33
  Service commandes France Métropolitaine
  Tél. : 33 (0) 2 38 32 71 00
  Télécopieur : 33 (0) 2 38 32 71 28
  Internet : www.interforum.fr
  Service commandes Export – DOM-TOM
  Télécopieur : 33 (0) 2 38 32 78 86
  Internet : www.interforum.fr
  Courriel : cdes-export@interforum.fr

- Pour la Suisse :
  INTERFORUM editis SUISSE
  Case postale 69 – CH 1701 Fribourg – Suisse
  Tél. : 41 (0) 26 460 80 60
  Télécopieur : 41 (0) 26 460 80 68
  Internet : www.interforumsuisse.ch
  Courriel : office@interforumsuisse.ch
  Distributeur : OLF S.A.
  ZI. 3, Corminboeuf
  Case postale 1061 – CH 1701 Fribourg – Suisse
  Commandes : Tél. : 41 (0) 26 467 53 33
  Télécopieur : 41 (0) 26 467 54 66
  Internet : www.olf.ch
  Courriel : information@olf.ch

- Pour la Belgique et le Luxembourg :
  INTERFORUM BENELUX S.A.
  Fond Jean-Pâques, 6
  B-1348 Louvain-La-Neuve
  Téléphone : 32 (0) 10 42 03 20
  Fax : 32 (0) 10 41 20 24
  Internet : www.interforum.be
  Courriel : info@interforum.be

Cécilia

Incitations
nouvelles érotiques

Une compagnie de Quebecor Media

Avant-propos

Chères lectrices, chers lecteurs peut-être... J'ai découvert les nouvelles érotiques il y a quelques années. C'est ma belle-sœur qui lisait sans scrupules ce genre d'écrits. Je n'en avais jamais lu auparavant.

Un jour d'été, alors que nous séjournions dans sa résidence secondaire sur les berges d'un merveilleux cours d'eau, un de ces recueils traînait sur une table, dehors, innocemment... Sonia est une personne ouverte, sans gêne aucune... On peut discuter de tout avec elle. Elle produit une émission de la radio locale, c'est une personne dynamique, érudite, au courant de tout ce qui se passe dans le monde. Je l'apprécie et je l'aime beaucoup.

Son conjoint est le frère de mon compagnon et il a treize ans de plus qu'elle. Ils forment un couple formidable ! Lui, c'est un vrai baby-boomer qui a connu les années *peace and love*. Ils aiment boire du bon vin, fumer des joints à l'occasion, écouter de la musique, rencontrer des amis… Ils sont vraiment *cool*, comme dirait mon fils.

Pendant qu'elle était à la salle de bains, j'ai jeté un œil à son recueil. Je dois avouer que j'en fus très émue. J'aurais aimé avoir plus de temps pour lire ce petit livre, mais Sonia est finalement revenue. Lorsqu'elle a vu le recueil entre mes mains, elle m'a dit que c'était vraiment agréable de lire ce genre de chose, excitant même. Que c'était très apprécié des femmes en général. Il s'agissait d'un cadeau de ses amies pour son dernier anniversaire. Elle affirma que, sans aucun doute possible, j'éprouverais énormément de plaisir à me procurer ce genre de bouquin.

Ce que je ne tardai pas à faire, dès la semaine suivante. Ce fut vraiment une découverte. Mais, le plus étonnant, c'est que je trouvai cette littérature très intéressante. Tellement intéressante, que j'ai pensé que moi, qui adore écrire, je serais capable de composer de telles nouvelles.

Depuis l'adolescence, en effet, je passe des heures à écrire sur tout et sur rien. Au tout début, j'écrivais de petites histoires à mon copain. Je les lui remettais le soir à son retour du travail, et j'ai découvert que c'était fort efficace. Un ingrédient très excitant pour agrémenter notre vie sexuelle. Mon amoureux aimait bien que je lui lise mes nouveautés le soir au lit, et il ne voulait pas que je m'interrompe pendant qu'il baladait ses mains, profitant de l'attention portée à ma lecture pour attiser mes sens. C'était tout simplement exquis.

Au départ, mes écrits étaient plutôt personnels puis, encouragée par mon copain, je me suis mise à puiser au fond de mes fantasmes et de ceux que mes amies me confiaient. Peu après, je me suis dit que ce serait chouette de partager cela avec elles. Si nous en éprouvions du plaisir, mon conjoint et moi, mon entourage y trouverait certainement son compte!

Toutefois, bien que je sois l'auteur de ces textes, il ne faut pas croire que j'ai tout expérimenté! J'avoue avoir fait travailler mon imagination. Je suis allée fouiller au plus profond de mon être, j'ai enquêté auprès de mon entourage et, à partir de quelques confidences, j'ai extrapolé, créé, réinventé et, surtout, j'ai imaginé! C'est cela, le côté excitant de l'exercice: *imaginer*!!!

Utiliser les mots, les vrais mots, les mots tabous, et se lancer dans les descriptions détaillées, c'est encore plus excitant! Je vous souhaite d'avoir autant de plaisir à lire ce livre que j'en ai eu à l'écrire!

Bonne lecture!

Les mains

Mmm… les mains… j'adore les mains des hommes. J'avoue avoir un faible pour elles… J'ai pris l'habitude d'observer les mains masculines… Ça me fait fantasmer… Les mains ne sont-elles pas à l'origine de tant de plaisirs ? Elles mènent souvent le jeu, le jeu de l'amour, entre autres. Je n'aime pas les mains trop féminines. Je préfère les mains viriles, grandes, pleines de vitalité. Des mains propres, solides, velues mais soignées.

J'aime imaginer les mains sur mon corps. Elles sont chaudes et pleines d'initiatives lorsqu'elles saisissent, massent, empoignent fermement… et qu'elles se font câlines, douces et efficaces en même temps.

Tes mains sont les plus merveilleuses. Elles sont si habiles! surtout lorsqu'elles glissent le long de ma colonne vertébrale et s'échouent au bas de mes reins, font un arrêt pour s'insinuer plus bas... Elles sont si persuasives lorsqu'elles reviennent, en avant cette fois, plus haut, sur un terrain plus montagneux et qu'elles pétrissent mes seins arrogants, en attrapent les bouts et les malmènent si tendrement... et lorsqu'elles remontent, entourent mon cou fragile, ou bien tempêtent à travers mes cheveux... frôlent mes épaules... et redescendent le long de mes bras.

J'aime les sentir sur mon ventre, surtout la chaleur qu'elles dégagent. Je me sens alors possédée, conquise. Je deviens le jouet, l'esclave, et toi, le tortionnaire et oui... le jeu des mains continue. Elles dansent un ballet, je suis la scène. Elles dansent sur mon corps qui t'est si familier une chorégraphie que seuls toi et moi connaissons bien. Elles continuent, elles s'insinuent à l'intérieur de mes cuisses, là où tu peux sentir mon plaisir, le toucher, l'engendrer, l'évaluer, le contrôler... Parfois, tu oses un doigt dans un intérieur plus étroit, mais tout aussi sensible.

À mes gémissements, tu sais exactement quelle danse choisir, tes doigts habiles se font plus audacieux, plus persuasifs, ils glissent à cet endroit propice, et moi je me fais plus disposée. Oui, vraiment, tu es très expérimenté… tes doigts s'attardent sur des points si… stratégiques.

Comme j'aime tes mains ! Leur dextérité surtout : tu sais exactement ce qu'il faut me faire… Elles sont magiques, c'est certain ! Tu es le Merlin des mains, et elles sont très occupées, l'une entre mes cuisses, l'autre en visite touristique ailleurs… Tu m'électrises !!!

C'est une façon si agréable de jouir. Mon Dieu que j'aime ça ! Eh bien… le ballet s'achève… je vais exploser si tu continues, et je vais bientôt voir les étoiles, les étoiles du plaisir… Je sens le spasme venir dans mon bas-ventre, je gémis, je cambre le dos, me raidis ! Voilà, je suis partie… Je gémis fort, ça t'excite toujours de m'entendre crier.

C'est terminé ! Du moins en ce qui me concerne, pour le moment ! Car je te connais, ce petit jeu n'est qu'un préliminaire, tu n'as fait que te réchauffer, tu ne t'es pas encore assez amusé, et ma passivité doit se changer en activité ! Tu es tellement bandé, ce sont mes mains maintenant qui saisissent, massent, empoignent…

Petits jeux

J'aime bien ces jeux particuliers… Te souviens-tu de cette fois, au restaurant où, candidement, je t'ai avoué que je n'avais pas de petite culotte? C'était tout pensé à l'avance, bien entendu! J'avais fait exprès de mettre ma jolie jupe, et ensuite, à table, j'ai retiré ma petite culotte et je te l'ai montrée. C'était assez excitant, tu dois l'avouer. Tu regardais autour de nous pour t'assurer que les autres clients ne s'étaient aperçus de rien!

Nous n'avons qu'à nous souvenir de la suite des événements pour comprendre que, toi aussi, ça t'avait énervé… Bon… Ou cette fois où nous nous sommes baignés nus comme des vers à la maison d'été. Mais, le plus excitant, ce fut dans la voiture. Je t'avais révélé que je n'avais jamais « fait de parking », alors je voulais tenter l'expérience. Nous avons alors trouvé un endroit tranquille, entouré d'arbres. Un beau petit coin, vraiment ! J'étais si excitée, et j'avais si peur qu'on nous surprenne ! Il faut dire que nous en étions au début de notre relation.

Alors, nous sommes donc allés dans ce petit coin perdu, à trois ou quatre kilomètres de la maison, un chemin de terre étroit, sombre et solitaire. Il faisait noir, il était tard. Tu as suggéré qu'on s'installe à l'arrière pour mieux profiter de l'espace, ce que je trouve très logique ! Tu es toujours si rationnel !

Je me souviens que ce n'était pas une des soirées les plus chaudes de l'été. Je frissonnais. Tu as enlevé ton pantalon et tu t'es assis sur la banquette arrière. Ton pénis était bien raide, au garde-à-vous, prêt à tout. Moi, je portais un t-shirt sans soutien-gorge (comme c'était frisquet, je l'ai gardé), puis j'ai retiré mon jeans et ma petite culotte. Je me suis assise sur toi, de face, et tu as glissé en moi d'un seul coup ; j'étais tellement mouillée ! La chaleur de ton corps m'a réchauffée, tes mains n'ont pas tardé à jouer sous mon t-shirt et tu as trouvé rapidement le chemin de mes petits seins. Les pointes étaient dressées et tu prenais un malin plaisir à les pincer, comme tu aimes si souvent le faire.

Je me suis laissée emporter par le plaisir. Je te chevauchais avec grâce puis j'ai fermé les yeux et j'ai pensé : je suis assise sur le plus bel étalon, et toi, tu as la plus belle des cavalières. Nos mouvements étaient à l'unisson, tes mains avaient maintenant changé de position ; elles agrippaient ma taille et m'aidaient dans mes mouvements de haut en bas, de bas en haut.

C'est tout de même étrange, car, du coup, je n'avais plus froid ! Au contraire ! J'avais plutôt chaud, et les vitres de la voiture étaient toutes embuées à cause de la chaleur que nous dégagions. Notre gymnastique érotique était telle que je pouvais sentir le véhicule bouger à notre rythme.

Tu m'as suppliée de crier en me rappelant que, là où nous étions, personne ne pouvait nous entendre… Tu aimes tellement cela quand je crie. Je me suis appuyée sur les genoux pour me soulever, et alors je sentais ta verge chaude et raide glisser avec adresse, me pénétrer, plus profondément. Chaque fois que nos corps se touchaient, je me soulevais de nouveau, arrivant mieux ainsi à faire monter ton plaisir.

La sueur perlait sur ton front, je sentais ton souffle sur ma gorge offerte. Cette position me donnait l'avantage, en un sens, car je contrôlais tout. Alors tu m'as soudainement suppliée d'arrêter ma danse ; tu voulais que j'aie du plaisir moi aussi. Mes yeux ont alors plongé dans les tiens et j'ai compris l'urgence de ta demande. En bonne fille que je suis je t'ai donné une chance, quelques secondes de répit, mais vraiment pas longtemps, car j'avais le feu dans le bas-ventre, j'étais sur le point d'atteindre l'orgasme. Alors j'ai recommencé de plus belle et j'ai enfin pu avoir mon plaisir presque en même temps que toi.

Ce fut vraiment bien ! J'ai peine à croire que nous ayons eu le temps de finir avant d'entendre des coups sur la vitre ! Quelle surprise ! J'ai failli mourir de peur. Nous n'étions pas censés être dans un coin perdu ????

Nous ne saurons jamais depuis combien de temps cet agent de police était là. Il faut avouer que, lorsqu'il nous a ordonné de nous rhabiller, il avait plutôt envie de rire. Toi, tu riais carrément, trouvant la situation très comique, mais pas MOI ! Tu parles d'un coin perdu !

Le catamoureux

Cela fait déjà deux belles années. Tu t'en souviens sûrement, on n'oublie pas une aventure si particulière.

C'était à Cuba, lors de notre premier voyage ensemble. Nous avions opté pour la formule « tout compris », mais nous devions payer certaines activités supplémentaires. Nous avions convenu d'en choisir deux, dont une belle aventure en catamaran, une promenade de trois heures, avec plongée en apnée près d'un récif de corail.

Nous nous sommes donc retrouvés au bord de la plage avec un autre couple. La femme ne semblait nullement attirée par cette escapade en mer et n'arrêtait pas de dire qu'elle n'avait pas le pied marin, qu'elle souhaitait tout annuler pour retourner à l'hôtel. Quant à son mari, il tentait désespérément de la faire changer d'idée.

Lorsque notre beau capitaine s'est pointé, j'ai cru pendant un instant que le mari gagnerait la partie, mais non. Le couple s'est disputé pendant dix minutes et, finalement, la femme a eu gain de cause. S'excusant auprès du capitaine, tous deux sont retournés à leur hôtel.

Nous étions donc seuls avec le beau commandant du catamaran. Laurent, d'origine parisienne, fin de la quarantaine, était bronzé comme un Cubain et musclé comme un dieu. Et très bien pourvu, à en juger par la protubérance dans son pantalon. Franchement, un bel homme! Il nous a raconté qu'il faisait des excursions touristiques depuis plus de dix ans.

Notre croisière se déroulerait donc à trois.

— Tant pis pour les autres, dit notre bel Européen, ils ne savent pas ce qu'ils manquent!

Il avait raison. Pour ce qui est de la croisière, évidemment, ce fut très instructif. Mais j'arrive au piquant de l'histoire…

Alors que nous étions loin de la côte, mon conjoint, François, qui m'avait vue torse nu toute la semaine, m'a suggéré de retirer le haut de mon bikini pour éviter les marques de bronzage. Notre capitaine m'a encouragée. Nous étions loin des côtes et personne ne s'en formaliserait; de plus, il était très habitué à ce genre de situation.

J'ai donc accédé à leur suggestion sans aucune gêne. Puis, trouvant cette situation plutôt excitante, François m'a pris dans ses bras et s'est mis à m'embrasser tout en me caressant. Il agissait comme si nous étions seuls. Voyant mon malaise, Laurent m'a assurée que nous pouvions prendre nos aises et faire comme s'il n'était pas là. Ce que nous avons fait aussitôt.

François m'a invitée à m'étendre sur une serviette de plage. Il m'a léché et mordillé les mamelons. C'était vraiment excitant. Ma chatte est devenue toute mouillée en un temps record. Me connaissant, il a introduit sa main dans mon slip de maillot de bain, constata mon état, puis a fait glisser mon slip le long de mes jambes avant même que j'aie le temps d'émettre la moindre protestation. J'ai aperçu Laurent à l'autre bout du bateau qui nous observait sans l'ombre d'un remords, tout en maintenant le cap, un léger sourire aux lèvres. J'éprouvais un peu de gêne, je ne peux le nier.

François était en train de me faire l'amour sur un catamaran, en pleine mer, à l'autre bout du monde, et ce capitaine nous observait. Tout cela me semblait irréel. François avait maintenant entrepris de manger ma chatte, caresse adorable qui me procure un plaisir fou!!!

Sa langue agaçait mon bouton de plaisir et j'étais parcourue de frissons. Je crois que le fait d'être observée m'excitait davantage. Puis il m'a demandé si je voulais être pénétrée... Quelle question! Bien entendu! Oui! Baise-moi! Tout de suite! J'en ai tellement envie!

Il m'a regardée...

— Tu aurais peut-être envie de la queue du charmant capitaine?

J'étais saisie d'étonnement. Mais, en même temps, nous étions à l'autre bout du monde; qui s'en préoccuperait? Dans quelques jours, nous retournerions dans notre pays, et je n'avais qu'une seule envie: jouir et jouir encore!!! De plus... comme Laurent était pas mal du tout, j'ai répondu sans hésitation.

— Oui, j'aimerais bien.

— Petite salope… tu en meurs d'envie, n'est-ce pas ?

— OUI !!! (Avec un peu de timidité, tout de même.)

François a donc invité notre capitaine à participer à notre… échange…

Celui-ci ne s'est pas fait prier le moins du monde. Au contraire, cela lui a paru tout à fait naturel. Après avoir jeté l'ancre… très rapidement, il nous a rejoints sur le pont.

Lorsqu'il a retiré son slip, j'ai été agréablement surprise. Il avait un beau pénis. Nos préludes l'avaient beaucoup excité, évidemment. Mon conjoint lui a demandé s'il me trouvait jolie et, à sa réponse affirmative, il lui a suggéré de me pénétrer. J'étais toujours étendue sur la serviette de plage. Alors François s'est écarté et Laurent s'est étendu sur moi, s'introduisant dans l'antre des plaisirs d'un seul et brusque mouvement. J'ai hurlé mon contentement. J'étais tellement mouillée, ce fut un moment délectable. François a alors surgi à ma gauche et m'a ordonné :

— Suce-moi…

J'aime lorsqu'il me donne des ordres, je me sens son esclave, sa victime, et ça m'excite encore plus. Pour moi, la soumission a un certain lien avec le plaisir, et il le sait bien.

Je l'ai pris dans ma bouche, sa queue était chaude et je la léchais avec gourmandise. Je n'avais jamais ressenti une telle joie. Mon fantasme! Deux hommes à la fois! Extraordinaire. Laurent butait sauvagement au fond de mes entrailles, dans un va-et-vient bien orchestré avec le bruit des vagues qui venaient frapper la coque du bateau. Comme c'était bon! Je continuais de sucer le membre en érection de François. Ensuite, celui-ci a suggéré au capitaine de se coucher sur le dos afin que je me mette à califourchon sur lui, sans oublier de préciser que c'était là ma position préférée. Ce que nous avons fait. C'est François qui menait le bal, je n'aurais jamais cru qu'il avait cette idée particulière en tête. Laurent s'est étendu et je l'ai chevauché.

Je sentais sa longue queue bien au fond de mon intimité. Ses mains pétrissaient mes seins avec doigté. Soudain, j'ai senti un chatouillement au bord de l'anus: mon conjoint l'humectait abondamment avec sa langue experte afin de se faciliter la tâche. Ensuite il m'a pénétrée doucement, et j'ai dû bien me détendre pour l'aider. C'était un peu compliqué, alors, j'ai collé ma poitrine contre celle du capitaine, de manière que François puisse mieux se positionner. Laurent en a profité pour me donner un long baiser sensuel. J'étais prise par deux mecs à la fois. C'était indescriptible, je me sentais pleine à craquer. Le plaisir et la douleur se mélangeaient et étaient si intenses que j'en ai presque perdu conscience. Ma jouissance était toute particulière ! Une explosion de sensations jusque-là inconnues.

Maintenant que j'avais pris mon pied, mes deux amants tentaient de garder le rythme afin d'atteindre l'orgasme, eux aussi. Ils haletaient, grognaient et me disaient des obscénités ! C'était incroyablement excitant !

Je n'avais jamais vécu une telle expérience. J'ai eu un second orgasme, tout aussi fort, et j'ai hurlé comme une bête. Quand mes amants ont joui à leur tour, j'ai senti leur liquide chaud gicler dans mes orifices. Ils se sont retirés, me laissant là, sur la serviette, épuisée mais comblée. François a passé sa main dans mes cheveux et Laurent arborait un sourire qui en disait long sur son état de satisfaction.

Hélas, la croisière était finie, il fallait retourner au port. Nous avons pris le temps bien sûr de remettre nos maillots. Nous avons remercié chaleureusement notre beau capitaine, que nous n'avons jamais revu.

Le soir, nous avons croisé le fameux couple qui avait failli faire la croisière avec nous au restaurant. Comme le destin est bon parfois : s'ils étaient venus, nous n'aurions sans doute pas vécu cet étrange petit voyage vers le plaisir charnel.

— Alors, cette croisière ? demanda l'homme. C'était bien ? Pas trop ennuyeux ?

— Ennuyeux ??? Non, pas vraiment ! Ce fut merveilleux ! lui répondis-je. Très expérimental, finalement. Vous avez manqué quelque chose de très... comment dirais-je... excitant !

— Je le regrette énormément. J'aurais dû y aller avec vous, sans Julie.

Et j'ai songé... à trois ??? François et moi avons échangé un sourire complice. Il savait exactement à quoi je pensais. Enfin, il ne faut pas abuser des bonnes choses... Il faut être encore capable de fantasmer !!!

Une histoire peu banale

Cette fois, il s'agit d'une histoire que m'a racontée un ami en qui j'ai une confiance aveugle, c'est donc une histoire que je crois vraie. Cet ami a été marié quatre fois, et je passe outre toutes ses petites amies de passage, évidemment. Voici donc ce qu'il m'a raconté.

C'était une journée maussade d'automne, du genre qu'il est plutôt difficile de commencer, d'abord parce qu'il fait encore nuit à l'heure où le réveille-matin nous rappelle à la réalité, et parce qu'on se relève d'une soirée avec les collègues où on a abusé un peu, pas mal, beaucoup du porto. Une de ces journées qu'on a hâte de voir se terminer, car on doit rencontrer l'inspecteur du gouvernement.

Toujours est-il que notre homme, une fois rendu au bureau, n'a pas eu le courage de monter les escaliers qui mènent au troisième étage, l'exercice étant réservé aux autres genres de matinées. Il a alors opté pour l'ascenseur. Il marchait les yeux rivés au sol, sans vraiment se soucier des gens qu'il croisait sur son passage, baignant encore dans les vapeurs de la soirée de la veille. C'est dans cet étrange état qu'il est entré dans l'ascenseur. Il avait presque de la peine à respirer et, de ce fait, il ne remarqua pas la jolie demoiselle qui lui tenait compagnie dans cet espace restreint.

C'est seulement lorsque les portes se sont refermées que ses yeux encore bouffis ont croisé de jolies jambes enrobées de magnifiques collants marine. Des collants !!! Il aimait qu'une femme porte des collants. Il trouvait cela très sexy. Son regard remonta lentement et il fut ébloui par la beauté de la jeune femme à ses côtés et, croyez-le ou non, il en oublia immédiatement tous ses malaises. Vous me croyez, bien entendu.

Un seul regard avait suffi à faire monter l'adrénaline en lui : plus de mal de tête, plus de nausées, plus de chaleurs. Vraiment, il s'agissait d'une très jolie femme dans la mi-trentaine. Il tenta de se souvenir s'il l'avait déjà rencontrée auparavant dans l'immeuble, car il était pratiquement impossible qu'il ne l'ait pas remarquée avant aujourd'hui. Aucune femme d'une telle beauté ne lui échappait, mais aucun souvenir ne lui vint.

Elle sentit son regard, tourna la tête et lui adressa un sourire radieux, en plus d'un naturel « Bonjour » ! Tout à coup, l'ascenseur stoppa et tout s'éteignit ; il y avait une panne de courant. Hormis nos deux amis, seule la lumière d'urgence dans le coin gauche de la cabine semblait avoir survécu à l'incident. Il faisait très sombre.

— Oh ! dit-elle, moi qui déteste les ascenseurs, il ne manquait plus que ça !

Puis, s'adressant directement à son compagnon :

— Vous savez quoi faire ?

Lui, voulant jouer le grand jeu de la séduction, entama un ballet anodin sur le panneau de contrôle, le tout sans succès, évidemment.

— Ça ne semble pas fonctionner. Nous allons devoir attendre. Il y a certainement quelqu'un qui va vérifier ce qui se passe, ça ne dure jamais bien longtemps.

— Merde ! J'ai horreur de ces endroits, j'aurais dû prendre l'escalier. N'est-il pas censé y avoir un téléphone d'urgence ?

Elle semblait très énervée, l'espace était restreint, peu éclairé. C'était plutôt étouffant et il ne fallait surtout pas perdre son sang-froid.

— Du calme, il y a un système de dépannage, ça ne devrait pas durer, détendez-vous ma petite dame, occupez votre esprit à autre chose en attendant.

— Ah oui ? À quoi ? Au sexe, par exemple ?

Elle le regardait droit dans les yeux, elle avait déposé sa valise et son sac à main par terre. Il éclata de rire… puis lança :

— Quelle merveilleuse idée !

— Je suis d'accord.

Il resta bouche bée ! Elle s'approcha de lui d'un pas décidé, sa bouche cherchant aussitôt celle de notre ami, sans qu'il eût le temps de dire quoi que ce soit.

Ses lèvres étaient pulpeuses et douces à la fois. Elle sentait bon, son parfum était léger. C'est alors qu'il remarqua qu'elle était très maquillée, il pouvait goûter son rouge à lèvres rouge vif, fraîchement appliqué.

— On t'a déjà fait une pipe dans un ascenseur ? lui demanda-t-elle.

Était-il en train de rêver ? Tout cela était si soudain, si étonnant !

— Non, jamais.

— Il y a toujours une première fois, c'est ton jour de chance, mon chéri !

Sans tarder, elle se baissa et commença à dégrafer son pantalon, démontrant ainsi sa ferme intention. Parlant de fermeté, il ne pouvait plus cacher la sienne, et la jeune femme sourit en prenant entre ses mains ce beau pénis au garde-à-vous !

— En tout cas, ça t'excite juste d'y penser, on dirait…

Il était médusé, incapable de prononcer le moindre mot. Elle était maintenant à genoux et, lorsqu'elle prit son membre dans sa bouche, il soupira de bonheur. Sa bouche était grande et humide, ses lèvres étaient pleines, son rouge à lèvres très foncé… Il releva la tête, comme c'était bon ! Il pouvait sentir sa langue. Il n'avait jamais vécu pareille aventure. Une inconnue était en train de lui tailler une pipe dans un ascenseur en panne. Personne ne croirait une telle histoire.

Mais vous, vous y croyez, n'est-ce pas?

Cette femme savait très bien y faire; c'était une excellente suceuse, et ce n'était certainement pas sa première fois. Elle aspirait de façon calculée et sa langue léchait son gland à chaque sortie. C'était vraiment sensuel! En même temps, elle lui caressait les testicules avec ses mains. À chaque mouvement, son membre grossissait, et notre ami appréciait franchement cet intermède fabuleux!

Il sentait qu'il allait bientôt jouir et il ne se demanda même pas s'il pouvait éjaculer dans la bouche de la jeune femme; tout était arrivé si vite qu'il n'avait pas eu le temps de lui poser la question.

Elle avait commencé à accentuer ses mouvements et elle orchestrait ses gestes d'une manière parfaite. C'était une professionnelle, certain. Elle avait l'habitude. Il sentit son désir exploser au fond de la gorge de la jeune femme.

Elle n'eut aucun geste de recul, au contraire, elle avala toute la semence et pinça même le bout de son pénis afin de ne pas en échapper la dernière goutte, qu'elle lécha avec avidité. Elle émit même un son de contentement... mmm...

Il n'arrivait pas à croire ce qu'il venait de vivre. Elle se redressa, lui sourit de façon espiègle.

— Vous aviez raison : me changer les idées m'a empêchée de faire une folle de moi !

Elle sortit son rouge à lèvres de son sac. Il replaça sa chemise dans son pantalon. Soudain, la lumière revint. La panne était terminée, quelle coïncidence ! On aurait presque pu croire que tout cela avait été arrangé à l'avance.

Ni lui ni elle ne parlaient ! Il y avait comme un pacte de silence entre eux. Les portes s'ouvrirent et il sortit, puis il se retourna pour remercier la dame, mais celle-ci semblait le suivre. Curieux, elle descendait au même étage que lui. Comme tout l'étage était réservé à l'entreprise pour laquelle il travaillait...

— Vous venez voir qui ? lui demanda-t-il.

— Le comptable !

Il comprit soudainement l'incongruité de la situation. Il s'agissait de l'inspecteur du gouvernement... Et lui, eh bien..., il était le comptable !

Vous me croyez, n'est-ce pas ?

En toute amitié

Linda est ma meilleure amie. Nous nous connaissons depuis presque vingt ans. C'est à l'école secondaire que nous sommes vraiment « tombées en amitié », et ça dure toujours. Nous avons ri, pleuré, chanté, bu et même dormi ensemble – sans plus. Il n'y a aucun secret entre nous. Nous avons partagé de beaux et de mauvais moments et il existe un respect particulier entre nous. Linda est mariée depuis quinze ans.

Un jour, mon amie, qui me dit habituellement tout, m'a confié que leur vie sexuelle, à elle et à son mari, avait énormément changé. Jacques était devenu distant et ressentait moins de désir pour elle. Nous avons supposé qu'il y avait peut-être quelqu'un d'autre dans sa vie. Linda était déprimée et en manque d'affection.

Nous étions assises côte à côte sur son beau sofa de cuir, dans le salon. J'ai pris sa main dans la mienne pour la consoler et pour lui rappeler ma solidarité. Elle m'a alors avoué qu'elle et Jacques n'avaient pas fait l'amour depuis un mois, chose tout à fait inhabituelle. Elle avait tenté d'en discuter avec lui, mais il avait toujours un prétexte pour éviter les explications. Elle me confia :

— J'ai tellement envie d'avoir du sexe que je me suis masturbée à quelques reprises, mais, toute seule, il n'y a pas de tendresse.

Elle s'ouvrait à moi et je l'écoutais avec attention. Pendant qu'elle me confiait tout cela, sa main caressait la mienne. Soudain, elle m'a demandé :

— Tu as déjà eu du sexe avec une autre femme ?

— Non.

— Tu voudrais essayer ?

Et, là, j'ai compris. Dans sa détresse, elle voulait qu'on ait une relation sexuelle ensemble. Je n'avais jamais envisagé la chose. Elle poursuivit :

— Tu sais, tant qu'à vivre une telle expérience, je voudrais que ce soit avec toi, tu es ma meilleure amie. Je ne serais pas gênée. Mais si tu n'es pas à l'aise, je comprendrai.

Elle semblait si petite, ainsi à mes côtés, et si désespérée. Je n'avais jamais eu d'expérience homosexuelle, ça ne m'avait jamais attirée. Linda était une jolie femme, bien proportionnée. Je me dis que je n'avais rien à perdre ni à gagner. Notre amitié était si forte, et puis je voulais tant la réconforter que j'ai accepté.

D'abord, elle m'a embrassée tendrement. Un doux baiser timide. Nous étions un peu mal à l'aise toutes les deux. Puis, sa langue s'est aventurée un peu plus loin, et j'ai répondu. Nos langues se cherchaient avec avidité maintenant, la timidité et le malaise s'étaient dissipés. Ses mains me caressaient les bras, les cheveux… J'ai senti un désir inconnu et tout à fait nouveau monter en moi. Elle s'est agenouillée devant moi et a commencé à déboutonner mon chemisier ; je l'ai laissé faire. J'étais hypnotisée par cette situation, qui me semblait irréelle. Elle m'a retiré aussi mon soutien-gorge. Elle avait déjà vu mes seins, puisque nous nous étions changées dans la même pièce à quelques reprises, mais, en ce bel après-midi, nos regards étaient différents.

Elle a emprisonné mes petits seins entre ses mains ; ses pouces massaient mes mamelons avec une douceur inconnue. Ce petit jeu m'a excitée. À mon tour, je lui ai retiré ses vêtements et, lorsque sa nudité m'est apparue, j'ai éprouvé un sentiment indescriptible de plaisir et de je-ne-sais-quoi. Linda avait de plus gros seins que les miens, les pointes étaient bien dressées et j'ai eu envie de les toucher, de les goûter. Ils étaient chauds et doux, sa peau avait un goût de pêche. Elle gémissait sous mes caresses. Nous étions maintenant agenouillées sur le tapis, nos regards étaient remplis de désir, de chaleur…

— Allons dans ma chambre, suggéra mon amie.

Elle me prit par la main et je la suivis. Elle marchait devant moi, ses seins se berçant au rythme de ses pas. Je la trouvais très belle et le lui dis. Elle me sourit. Dans la chambre, elle a retiré elle-même le seul vêtement qui lui restait, sa petite culotte. J'ai fait de même. Nous nous sommes retrouvées complètement nues, face à face, les yeux dans les yeux. Nous nous sommes enlacées et nos bouches se sont jointes de nouveau. Nos corps étaient prêts, nos peaux étaient douces, nos seins se touchaient, c'était particulier. Je n'avais pas honte de mon corps, je me sentais bien.

Du bout des doigts, elle a touché ma vulve, déjà mouillée par nos préliminaires. Elle m'a ordonné de me coucher sur le lit, les jambes écartées, et j'ai obéi. C'est alors qu'elle a entamé un cunnilingus absolument extraordinaire. Jamais je n'avais ressenti un tel plaisir. Qui sait mieux qu'une femme donner du plaisir à une autre femme?

Ensuite elle m'a demandé de lui faire la même chose. Elle s'est étendue à son tour et je lui ai rendu la pareille.

Elle était mouillée elle aussi et, pour la première fois, j'ai goûté le jus du plaisir féminin avec délices. Elle sentait bon, goûtait bon, et je me suis surprise à aimer cela. Elle gémissait et se tortillait sous moi. Lorsqu'elle a atteint l'orgasme, j'ai eu autant de plaisir qu'elle. J'étais satisfaite de l'avoir comblée ainsi.

Nous avons passé l'après-midi à échanger des caresses sexuelles, sensuelles. Nous utilisions notre imagination et, croyez-moi, nous en avions à revendre. Dans les semaines qui ont suivi, chaque fois que nous le pouvions, nous inventions des alibis pour nos conjoints et nous profitions de moments exceptionnels. Nous sommes demeurées amies. Par la suite, elle et Jacques ont divorcé.

Linda a maintenant un nouvel amant qui comble ses besoins. Nous nous voyons beaucoup moins souvent. Parfois, en de rares occasions, nous redevenons des amantes en toute complicité. C'est notre secret.

Un partage

Notre voisin immédiat est de race noire. Il est si beau ! Il ressemble à l'acteur Denzel Washington, que j'admire beaucoup. Il semble vivre seul et avoir une vie plutôt tranquille.

Un jour, j'en fis la remarque à mon conjoint et il me demanda si j'aimerais avoir du sexe avec ce mec. Bien entendu, je lui ai répondu que l'expérience serait certainement intéressante ! Il m'a suggéré alors de l'inviter à dîner, histoire de faire « plus ample connaissance ». J'avais un peu deviné ses intentions : il voulait que j'aie une relation avec ce beau Noir, avec sa bénédiction, bien entendu. Il m'a donc donné des instructions sur la façon de m'y prendre pour le séduire.

— Et toi, que vas-tu faire pendant ce temps ? lui ai-je demandé candidement.

— Moi ? Mais je vais vous regarder faire !

— Sale voyeur ! me suis-je exclamée.

On souriait tous les deux lorsque nos coupes de vin se sont touchées. Nous venions de conclure un pacte. Il ne restait qu'à convaincre notre beau voisin !

Le tout s'est produit quelques semaines plus tard. Nous avons commencé par apprivoiser ce beau bonhomme, prénommé Mike. Il était grand, musclé, sa peau était chocolat au lait et les traits de sa race n'étaient pas très prononcés. Il nous a expliqué qu'il était issu d'une mère blanche et d'un père noir. Nous l'avions conduit doucement sur une pente volontairement invitante. Ce soir-là, il savait à quoi s'attendre. Tu m'as offerte à lui tout simplement. Mike t'avait avoué qu'il me trouvait très attirante et tu as sauté sur l'occasion pour lui suggérer cette petite aventure.

J'étais un peu nerveuse. Lorsque nous nous sommes retrouvés dans la chambre et qu'il s'est montré debout devant moi, nu comme un ver, j'ai eu le souffle coupé ! Il avait un corps athlétique et un membre énorme ! Je me suis surprise à m'inquiéter de l'espace en moi. Je le trouvais très beau. Je n'ai pu résister à l'envie de sucer ce grand pénis. Je me suis donc agenouillée devant lui et j'ai oublié ta présence. Tu étais bien installé dans le fauteuil à nous observer dans un coin de la chambre. Pendant que je besognais avec ardeur, Mike tenait ma tête à deux mains et guidait mon mouvement de va-et-vient.

J'ai agrippé ses fesses fermes, bien rondes et bien musclées. Mais il voulait autre chose maintenant ; il m'a interrompue et je me suis relevée.

Il m'a invitée à m'allonger sur le lit et s'est étendu sur moi. Ses mains me caressaient partout, il était doux et tendre. Il a entrepris un léger massage de ma vulve ; je trouvais le tout très excitant et je gémissais. J'ai à peine entendu ta voix au fond de la pièce qui ordonnait :

— Je veux que tu la pénètres bien à fond.

Mike s'est exécuté. Il était notre invité et il se devait de ne pas décevoir son hôte… Lorsque je l'ai senti au fond de mes entrailles, ce fut merveilleux. Il y allait lentement, conscient de mon appréhension au sujet de la grosseur de son membre. Je pouvais sentir son membre énorme entrer et sortir. Il était agenouillé et tenait mes cuisses relevées, fermement. Le plaisir était plus fort à chacun de ses mouvements. Comment pouvait-il aller si profondément ? Ce que je sais, par contre, c'est que c'était bon. Je crus te voir du coin de l'œil te masturber en nous regardant. Ce fut encore plus excitant de te savoir dans cet état.

J'ai entendu encore ta voix…

— Encule-la, maintenant.

Cette fois, j'ai eu vraiment peur. Il était beaucoup trop gros. Mais, bizarrement, je me suis laissée retourner sans un mot. Je savais que ça pouvait arriver, nous en avions discuté avant. J'étais prête à tout. Je voulais te faire plaisir, et j'avais envie de nouveauté.

Alors, je n'ai opposé aucune résistance ; je me suis mise à quatre pattes à sa demande pour bien lui présenter mon fessier et mon anus, qu'il a pris la peine de bien lubrifier avec sa salive et mon suc, déjà abondant.

Je l'ai senti au bord, il était bien élevé, ce garçon ; il prenait tout son temps pour ne pas me blesser. Il a forcé mon entrée intime avec délicatesse et je l'ai senti me pénétrer centimètre par centimètre. Au début, ça me faisait mal, mais ce ne fut que passager, et j'ai éprouvé un certain plaisir ; puis il a commencé à s'activer légèrement. Il me tenait par la taille et, en baissant la tête, je pouvais apercevoir ses longues mains foncées sur ma peau si pâle. Nous étions vraiment futés, toi et moi, car nous avions réussi à concrétiser notre plan.

C'est à ce moment que j'ai décidé de profiter de ce moment au maximum. Je voulais jouir, je voulais que ce Noir me fasse jouir devant toi, je voulais que tu m'entendes hurler de plaisir afin de te donner un spectacle mémorable, et à moi, un souvenir inoubliable. J'ai tourné la tête et je nous ai vus dans le miroir de la commode. Quelle image extraordinaire !

Le contraste de nos peaux, la sueur qui perlait sur nos corps, moi, à quatre pattes comme un animal, les cheveux en bataille, les seins pendants... Mon désir est monté de plus belle. Je n'avais plus mal. J'ai senti sa main chercher mon clitoris. Ses doigts l'ont rapidement trouvé et il a commencé à le masser.

Mon plaisir a décuplé et j'ai joui fort, hurlé avec conviction et, en jouissant, j'ai pris le temps de te regarder dans les yeux afin que tu me voies. Voilà, mon chéri, es-tu jaloux ? Je suis en train de jouir grâce à une autre bitte que la tienne ! Comment tu te sens ? C'est à ce moment que mon bel étalon noir a joui à son tour. J'ai senti la chaleur de son sperme à l'intérieur de mon corps puis nous nous sommes affaissés sur le lit.

Après quelques instants, tu t'es déshabillé et es venu nous rejoindre. Nous avons refait l'amour à trois, cette fois. Cette expérience fut elle aussi mémorable. J'étais votre instrument de plaisir et vous étiez les musiciens, et vous avez joué une musique extraordinaire.

Le lendemain, Mike nous a remerciés et s'en est allé comme si rien ne s'était passé. Il nous a offert de recommencer à notre guise, ce que nous avons fait trois autres fois dans les semaines qui ont suivi. Puis, son travail l'a obligé à déménager dans une autre ville. Quel dommage de perdre un si bon voisin ! C'est tellement agréable de partager.

Sur la route

Nous étions sur le chemin du retour à la maison. C'était l'été, il faisait chaud, le soleil plombait à travers les vitres de la voiture et j'avais remonté ma jupe pour être plus à l'aise. Toi, tu conduisais avec aisance, comme toujours. Il ne nous restait qu'environ une demi-heure de route avant d'arriver à destination.

C'est à ce moment que tu as eu une merveilleuse idée. Tu as allongé le bras et posé la main sur ma cuisse. Ta main était chaude et possessive, comme j'aime tant. Tu as caressé ma cuisse gauche pendant un bon moment et probablement que tu t'es lassé, car tu as remonté plus haut. J'ai écarté les jambes pour faciliter tes mouvements et tu as caressé ma chatte par-dessus ma petite culotte. Comme celle-ci semblait de trop, tu as remonté encore plus haut afin d'introduire ta main en milieu plus favorable, au centre de mon corps, l'entrecuisse, le cœur du plaisir féminin... Lorsque tu as touché mon sexe moite, tu as compris à quel point j'avais apprécié tes précédents attouchements. C'était chaud, lisse... Tu as alors entrepris un mouvement lent, plein de douceur. J'ai bougé pour t'être mieux disposée. Je regardais défiler le paysage et passer les véhicules que nous croisions et je me demandais s'il n'y avait que nous qui avions des idées aussi charmantes et sensuelles. Quoi qu'il en soit, c'était délectable! Tu as poursuivi ce manège, et moi, j'ai continué de l'apprécier.

Plus ta main besognait, plus mon plaisir montait. Je ne me souviens plus combien de temps cela a duré, mais je sais que lorsque j'ai atteint l'orgasme ce fut vraiment spécial. Tu as retiré ta main et léché tes doigts en me jetant un regard langoureux. Tu es vraiment un amant merveilleux, je t'adore et je remercie le ciel de t'avoir mis sur mon chemin de vie.

J'ai alors pensé que ce serait bien de récompenser ta si grande gentillesse. Comme il restait encore pas mal de route à faire, je me suis penchée vers toi pour dégrafer ton pantalon qui te serrait, car il faut bien admettre que ton membre avait pris de l'expansion, dans l'intervalle. Tu continuais de conduire en vrai pro ! J'ai alors entrepris de te tailler une pipe comme tu les aimes. C'était vraiment génial, parce qu'il ne fallait pas te déconcentrer pendant la conduite. Je te sentais prêt à éclater, ta verge était douce, chaude, prête ! Il était indéniable que tu appréciais mon initiative.

Je n'ai pas eu besoin de te sucer très longtemps que j'ai senti ton jet chaud au fond de ma gorge, et je n'ai laissé aucune goutte. Je suis d'une nature plutôt gourmande.

Nous sommes arrivés à la maison dix minutes plus tard ! C'est bizarre, car le voyage ne m'avait pas paru aussi long que d'habitude !

Nous avons rencontré le voisin dans l'escalier, il nous a demandé si nous avions fait bonne route !

Excellente, mon cher monsieur, vous n'avez pas idée !

Flash-back

J'ai quarante-deux ans, je suis mariée, j'ai deux enfants et un mari dévoué, aimant, travailleur, rien pour me plaindre, finalement. Nous menons une petite vie tranquille, nous avons une jolie maison avec patio, barbecue et piscine. Je suis une femme au foyer par choix, et je consacre beaucoup de temps à ma famille.

Le travail de mon mari l'oblige souvent à quitter la ville pendant quelques jours. Je me retrouve donc fréquemment seule avec nos deux filles. Au fil des années, je me suis habituée à entreprendre seule mes activités de décoration dans la maison.

Je suis devenue une assidue de la quincaillerie du coin : je repeins les murs, j'applique le papier peint, et j'ai même posé de la tuile sur le plancher du sous-sol. Rien ne me fait peur.

En septembre dernier, après la rentrée des classes, j'ai décidé de repeindre la salle de bains. Me voilà donc à choisir les couleurs dans le rayon de la peinture, hésitant entre différents tons de bleu. C'est à cet instant que j'ai été interpellée par une voix familière… trop familière.

— Mélanie ! C'est bien toi ?

Mon cœur n'a fait qu'un bond. Je me suis retournée très lentement. Nos yeux se sont croisés. Quinze années ont passé. Le sait-il ? Moi, je le sais. Malgré ma dizaine de kilos en plus, mes cheveux plus courts, il m'a reconnue. Je n'ai pu m'empêcher d'en être flattée. Lui aussi avait vieilli, ses tempes grisonnantes ne m'échappèrent pas, ni son ventre bedonnant comme celui de bien des hommes dans la quarantaine. Le temps nous avait traités de façon équitable.

Je lui ai adressé le plus beau de mes sourires. Bizarrement, je pouvais ressentir encore ce point dans mon ventre, mais je ne pouvais distinguer s'il s'agissait de cette douleur insoutenable qui m'avait envahie pendant des semaines à l'époque de notre rupture ou le plaisir de sa présence. Mon Dieu, que je lui en avais voulu et que je l'avais détesté ! Mais, comme on dit si souvent, le temps arrange les choses. Toute cette haine s'était estompée, je crois, dissipée à travers les événements et les années.

Pendant quelques secondes, le temps a semblé s'arrêter et, comme dans un vieux film en noir et blanc, certains souvenirs ont refait surface avec une telle netteté ! Ils se bousculaient dans ma tête, comme si tout cela s'était produit hier !

— Jacques, quelle surprise ! Je te croyais à l'étranger !

Je nous revois en train de faire l'amour. Il fut mon premier vrai amant ; il m'a initiée à tant de choses, côté sexe. Le côtoyer fut une découverte de moi-même, de mes possibilités. Je n'oublierai jamais sa façon de me dominer, de me contrôler. Il aimait bien donner des ordres. Il était presque violent au lit… Il aimait mater et j'aimais bien le lui rendre. Les préliminaires avec lui étaient très particuliers. Soudainement, il décidait qu'il avait envie de sexe, alors je devais être disponible, lui obéir. Puis il m'ordonnait de me déshabiller, de me mettre à genoux, de le sucer ! J'adorais cela.

C'est avec lui que j'ai avalé du sperme pour la première fois. J'exécutais ses commandements parce que j'en éprouvais un certain plaisir.

Une autre fois, il m'a obligée à rester nue dans l'appartement durant tout le repas du soir. J'ai dû faire la cuisine entièrement nue! Lui prenait un malin plaisir à m'observer, à me toucher, à me frôler à chacun de mes passages.

Il avait refusé de baisser les stores et il faisait noir dehors, alors les passants pouvaient nous voir. Je dois avouer que ce jeu avait un certain charme. Puis, il a fini par me prendre par-derrière, moi penchée sur la table parmi la vaisselle sale et les restes du repas.

Sans parler de cette autre fois très bizarre dont je garde un souvenir très net. Nous étions dans un restaurant bondé, et il m'a baisée dans les toilettes des femmes. Il m'a assise sur le comptoir, a relevé ma jupe, retiré ma petite culotte et m'a pénétrée avec ardeur devant des petites dames outrées. Peu importe, j'ai eu un orgasme tempête! Une vieille dame a osé faire un commentaire négatif à notre égard, et il lui a alors demandé si elle voulait elle aussi être baisée ainsi! Quel regard elle lui avait lancé! Mais le sujet était clos.

Et puis… cette façon si merveilleuse qu'il avait de me faire l'amour comme un animal, moi à quatre pattes, lui derrière, me tirant par les cheveux d'une main et, de l'autre, me frappant les fesses. C'était un peu violent, mais en même temps si satisfaisant ! Je pouvais sentir sa queue aller et venir avec acharnement, sa queue si belle, si droite, si dure et si désirable. J'étais toujours prête pour lui, juteuse, mouillée. Sa queue, que j'ai reçue tant de fois, tous mes orifices y ont goûté. Avec lui, il n'existait pas de « non ». Il décidait et je subissais.

La sodomie est une autre découverte que j'ai faite avec lui. C'était si douloureux, mais si agréable à la fois. Il agissait avec douceur, lenteur… Puis, lorsque son membre était bien en place, il s'activait lentement en un va-et-vient parfait, bien ordonné ! Comment pourrais-je oublier toute cette jouissance que j'en retirais ? C'était exquis, je pouvais sentir sa semence gicler en moi, cette chaleur était un délice.

Souvent, quand il avait joui trop vite et que je n'avais pas eu le temps de prendre mon plaisir, il me mangeait la chatte de sa langue experte, une langue qui savait me faire jouir chaque fois qu'elle approchait de ce jardin. Il avait cette faculté de gambader du haut de ma fente jusqu'à l'entrée de mon anus, qu'il venait visiter avec autorité. Jamais depuis je n'ai été mangée ainsi.

Ces pensées m'avaient émoustillée en quelques secondes. Il était devant moi, en chair et en os. Malgré toute la peine que j'ai ressentie quand il m'a quittée pour cette nana française au corps parfait, il me faisait encore de l'effet. C'était indéniable.

— Dis-moi, que deviens-tu ?

Il m'avait arrachée à mes pensées vagabondes.

— Je suis mariée et maman de deux jolies filles.

— Oh… toi, mère ! Qui est ce chanceux de mari ? Je le connais ?

— Non, je ne crois pas. Il est Américain. Nous nous sommes rencontrés à Boston.

Mon cœur battait la chamade, pouvait-il percevoir mon trouble ? J'espère que non. Je voulais me montrer indépendante, épanouie, heureuse. N'étais-je pas ce que j'étais censée être ? Mais je me suis sentie si fragile tout à coup. Étais-je encore jolie ? Mes grossesses ne m'avaient pas trop défaite ?

— Et toi, tu es revenu d'Europe il y a longtemps ? (Et cette nana française, « avec le plus beau cul du monde » ?)

Les mots me brûlaient les lèvres, j'avais envie de répéter les paroles qu'il avait prononcées quinze ans auparavant, pour lui rappeler à quel point il m'avait blessée.

— Oh, tu sais, je suis rentré au pays depuis au moins dix ans ! J'enseigne toujours à l'université.

Aucune allusion à sa nana française... J'avais si envie de savoir !

— Ah, bon. Tu vis... seul ?

— Non, je suis toujours avec Delphine, mais nous n'avons pas d'enfant, cependant.

DELPHINE ! La fameuse nana française ! J'avais oublié son prénom. C'est étrange, j'ai ressenti un point au cœur. Comme si le couteau planté il y a si longtemps avait bougé soudainement. Je n'arrivais pas à le croire. Il était encore avec cette salope, et je n'arrivais pas à m'en ficher ! Quelle idiote j'étais ! Je la voyais encore, les seins parfaits, une longue chevelure blonde, mannequin de profession, belle à faire craquer n'importe quel imbécile. Comment aurais-je pu faire concurrence à une telle créature ?

— Justement, la voilà. Tu te souviens de Delphine, n'est-ce pas ?

J'en ai eu le souffle coupé. Une créature ÉNORME et DIFFORME avançait dans l'allée !

À l'œil, cette créature pesait plus de cent kilos. C'était elle, la belle Delphine ? La femme pour qui Jacques m'avait laissée ? Je ne pouvais y croire. Il y a à peine quelques minutes, j'avais honte de mon léger excès de poids. J'avais honte de mon corps devant lui… Merde !

Un grand sourire a découvert mes dents. Une chaleur soudaine et inexplicable m'a envahie.

— Bonjour, Delphine ! Ça fait longtemps ! Je ne t'aurais jamais reconnue !

— En tout cas, toi, tu n'as pas beaucoup changé ! (On pouvait lire une amère déception sur son visage…)

Du coup, la douleur dans ma poitrine a disparu et les traces de mes grossesses m'ont semblé alors si anodines.

Elle poursuivit en s'adressant à Jacques :

— Mon chéri, il ne faudrait pas trop tarder !

C'était clair qu'elle ne voulait pas s'attarder près de moi. Elle savait exactement qui j'étais et ce que j'avais été pour lui.

— Bien sûr, Delphi.

Puis, me regardant droit dans les yeux, il me dit :

— Ça m'a vraiment fait plaisir de te revoir. (Il avait presque murmuré ces mots.)

— Moi aussi, Jacques.

Puis il s'est éloigné avec son énorme créature.

Une belle journée s'annonçait, finalement… Et puis, bleu poudre, ce serait très bien pour la salle de bains…

Sacrilège

Je suis inspecteur des bâtiments, spécialiste des églises. Je sillonne tous les coins du pays. Je visite beaucoup de petits patelins et j'y rencontre toutes sortes de bonnes gens.

Un jour, je me suis retrouvé dans un village pour l'inspection annuelle de sa petite église centenaire. Habituellement, je dois passer prendre les clefs au presbytère mais, comme nous étions en été, l'église était ouverte pour les touristes.

Je suis donc entré par la porte principale, tranquillement, sans bruit, car j'examinais attentivement le seuil, qui semblait avoir été refait depuis ma dernière visite. Un lourd silence règne habituellement dans les églises, parfois des gens y prient, et c'est pourquoi j'agis toujours avec une certaine délicatesse, mais cette fois c'était différent. Il n'y avait personne, et pourtant, j'entendais des soupirs et des murmures imprécis, très étranges.

Je me suis donc avancé en silence, à la recherche de ces sons bizarres qui semblaient provenir du chœur de l'église. En fait, il y avait une petite pièce à l'écart, sans porte, au fond, à gauche de l'autel, et je fus saisi d'étonnement. Deux amants, un homme et une femme dans la vingtaine, se livraient à des ébats amoureux sur le sol recouvert d'un tapis moelleux, à l'abri des regards indiscrets, mais de l'endroit où je me trouvais je pouvais très bien les apercevoir.

Ils n'étaient pas conscients de ma présence, alors j'ai pu en profiter. La femme était toute petite, avec de petits seins aux pointes bien dressées, une taille fine, et elle était assise sur son partenaire qui, lui, était étendu par terre. Elle avait les jambes repliées et s'activait à monter et à descendre sur le pénis bien bandé. Lui, il lui agrippait la taille pour l'aider dans son va-et-vient. Ses cheveux se balançaient sur ses épaules. Ils cessèrent leurs mouvements. Alors, le jeune homme se leva et la fille s'agenouilla pour le sucer. Je n'oublierai jamais cette image. La lumière du soleil filtrait à travers les vitraux colorés et encerclait le couple. Le gars encourageait sa compagne en la complimentant sur sa manière de faire :

— Tu es magnifique, tu suces si bien, vas-y… oui… continue, aspire-la bien ! Ça t'excite, non ?

Et ainsi de suite.

Je n'ai pu empêcher mon pénis de bander dans mon slip. C'était vraiment excitant de les voir faire. Puis, quand il a joui dans sa bouche, un léger cri retenu a retenti. Ça ressemblait à un râle réprimé. Ce n'était pas terminé pour autant.

La fille s'est alors couchée à son tour sur le tapis, les jambes bien écartées, puis il s'est mis à manger son entrejambe. Les bras repliés au-dessus de la tête, elle gémissait comme une chatte en chaleur. Ensuite, elle a pris ses petits seins entre ses doigts et s'est mise à les masser, sans cesser de gémir et de se tortiller. Quand elle a atteint l'orgasme, son corps s'est tendu et son amant lui a mis la main sur la bouche pour étouffer son cri.

J'aurais dû signaler ma présence, mais j'en fus incapable. Le spectacle était beaucoup trop intéressant.

C'était si étrange, comme situation ! J'avais déjà vu, il y a quelques années, une femme nue se faire prendre en photo dans une chapelle particulièrement coquette, mais c'était la première fois de ma carrière que j'étais témoin d'une telle audace ! Les amants se sont rhabillés et ont quitté les lieux sans m'apercevoir.

Moi, j'étais très excité par le spectacle. Je sentais ma verge gonflée et dure entre mes cuisses.

Je me suis caressé avec la main et je trouvais urgent de soulager le désir qui m'avait envahi. Je suis descendu au sous-sol où j'ai pu apaiser mon excitation par une masturbation qui ne dura pas bien longtemps. Ces deux personnages m'avaient tellement excité que j'ai joui rapidement.

Après mon inspection, je me suis rendu au presbytère pour y laisser mon document à la secrétaire. Le curé était là.

— Bonjour ! Comment allez-vous ? Alors, c'est une belle église, n'est-ce pas ?

— Oui, très belle, très spéciale… (J'esquissai un léger sourire en pensant à ce que je venais de voir.)

— Des producteurs de cinéma voudraient qu'elle serve de plateau de tournage.

— Vraiment ? Quel genre de film ? (Pornographique, peut-être ?)

— Nous ne savons pas vraiment, le tout est entre les mains de l'évêché. Nous ne pouvons pas accepter n'importe quoi, vous comprenez... Nous devons préserver notre image, quand même !

Je n'ai pu m'empêcher d'intervenir.

— Vous savez, ce n'est pas une bonne idée de laisser les portes de votre église ouvertes l'après-midi, sans surveillance. Il y a tellement de gens étranges, on ne peut contrôler ce qui peut arriver !

— Oh, mais vous savez, les gens adorent visiter les églises ! Nous avons une grande confiance ! Nous avons tout de même engagé un jeune homme pour surveiller les lieux. Mon neveu.

— Ah oui ? fis-je, surpris.

— Le voici, justement...

Je me retournai lentement ; le jeune homme en question était celui que j'avais aperçu en pleine action. Le curé poursuivit :

— Il étudie le génie à l'université, il est très fiable.

Bien entendu, et surtout très respectueux... Ajoutez-en...

Agent 007

C'était ton anniversaire ! Je ne sais jamais quoi t'offrir. Il faut dire que tu es habituellement difficile, alors… Cette fois-là, tu m'as évité en quelque sorte ce casse-tête annuel, car, pour une fois, tu savais ce que tu voulais. Un souhait tout particulier !!!

— Je voudrais jouer à James Bond.

Je n'ai pas compris tout de suite. Tu as poursuivi.

— Tu sais, il va dans un bar, repère une beauté, l'accoste et ils discutent pour ensuite se retrouver dans une chambre d'hôtel où ils font l'amour…

Je n'étais toujours pas certaine de bien comprendre.

— Tu veux que nous allions dans un bar et que nous fassions semblant de ne pas nous connaître ? Je joue la beauté, tu joues James Bond, puis on discute et on finit à l'hôtel ?

— Exactement, avec le champagne et tout le tralala… Comme dans un film.

Je trouvais l'idée pas mal originale et, comme c'était un cadeau d'anniversaire, j'ai aussitôt mis ce projet en branle. J'ai réservé une chambre dans un grand hôtel du centre-ville et une bonne table dans un restaurant réputé. Après discussion, nous avons trouvé l'idée du restaurant meilleure que celle du bar.

Le jour J est enfin arrivé. Comme il s'agissait d'un restaurant chic, j'avais revêtu ma plus belle robe. Longue, noire, avec décolleté plongeant, glissière dans le dos… la robe parfaite pour le jeu. Pour l'occasion, je m'étais acheté des dessous de dentelle noire très sexy. De toute beauté ! Je portais même des jarretelles ! Il fallait que ce soit comme dans un film ? Eh bien, mon chéri, tu ne serais pas déçu !

Dans la journée, je suis passée chez le coiffeur, mes cheveux étaient remontés, j'avais un look de femme fatale.

Nous avions convenu de ne pas nous voir avant notre rencontre au restaurant. Chacun devait d'ailleurs s'y rendre par ses propres moyens. Le scénario était le suivant : j'avais réservé une table à ton nom et je devais arriver après toi, prétendant avoir une réservation. Le maître d'hôtel chercherait en vain mon nom dans son registre, et moi, je jouerais la femme outrée. Ensuite, tu viendrais à mon secours et tu m'offrirais de me joindre à toi.

Quel homme charmant tu semblerais être !

Tout s'est passé exactement comme prévu ; je dois avouer que je suis une excellente actrice. Cette petite mise en scène a paru très crédible. Lorsque je t'ai vu apparaître vêtu de ton smoking (loué), les cheveux lissés vers l'arrière avec je ne sais quoi, un gel quelconque, j'avoue que tu faisais très agent 007 ! Je te trouvais si beau, si élégant, que j'en ai oublié mon idole Sean Connery ! Tu as joué ton rôle de vrai gentleman et m'as offert une place à ta table. Le maître d'hôtel a semblé satisfait de la tournure des événements. Il ne s'est douté de rien.

Nous étions vraiment convaincants ! Tu étais galant, gentil et prévenant. C'était étrange de tenir ces rôles. J'avais l'impression d'avoir quelqu'un d'autre que toi devant moi. Le plus comique, c'est sûrement quand tu m'as lancé le plus sérieusement du monde : « Mon nom est Bond. James Bond. » Nous avons bien ri aussi de ma réponse : « Moi, c'est Bombe. Belle Bombe. » Nous avons mangé en faisant semblant de ne pas nous connaître. Nous avons joué nos rôles à la perfection. Puis est venu le moment de partir. Je t'ai proposé de te suivre à ton hôtel, et bien entendu tu as accepté. Lorsque nous nous sommes retrouvés dans cette chambre magnifique, tout s'est passé comme dans un rêve.

Tu m'as offert du champagne, sans cesser de me bombarder de compliments. Je me sentais vraiment quelqu'un d'autre. Sensation époustouflante. Ensuite, tu m'as ôté des mains ma flûte de champagne puis tu m'as embrassée. Un baiser comme je les aime tant. Passionné, doux, tendre et long. Doucement, tu as baissé la fermeture éclair de ma robe. Tes gestes étaient lents, comme si tu voulais goûter chaque moment. J'étais hypnotisée par ton regard plein de désir, plein d'amour. Toute cette mise en scène semblait irréelle, mais si excitante !

Ma robe était maintenant sur le sol. À voir ton expression, tu appréciais mes dessous sensuels. Tu m'embrassais dans le cou, sur les épaules ; tes lèvres me frôlaient doucement. Tu étais si tendre, et je me sentais belle, désirée. Tes mains se baladaient sur mon corps comme une musique. Tu as défait mon soutien-gorge. Tu as embrassé mes seins. J'ai commencé à déboutonner ta chemise blanche immaculée. Nos mouvements étaient calculés. Nous ne voulions pas aller trop vite. Nous devions continuer de faire semblant.

Tu étais maintenant nu, moi j'avais encore mes bas et ma petite culotte de dentelle noire avec les porte-jarretelles. Tu n'as pas voulu qu'on les retire tout de suite, tu trouvais ça beaucoup trop excitant. Tu m'as fait m'allonger sur l'immense lit. Nous ne cessions de nous embrasser fougueusement. Ensuite, tu as retiré ma petite culotte avec lenteur et sensualité, puis ta bouche s'est mise à manger ma chatte avec bonheur.

Je pouvais sentir chaque mouvement de ta langue qui agaçait mon bouton de plaisir. Pendant ce délicieux exercice, tu m'as enfoncé un doigt dans l'anus. Une sensation adorable. J'étais couchée sur le dos, les bras au-dessus de la tête, presque entièrement nue, je ne portais plus que mes bas et mes porte-jarretelles. L'image que je projetais était merveilleuse!

J'ai pris ta tête entre mes mains pour te jouer dans les cheveux. Tu adores ça. J'ai senti que j'allais jouir, mais je ne voulais pas! Pas tout de suite! Il fallait que ça dure encore, alors je t'ai supplié d'arrêter un peu. Mais tu as dit qu'on avait toute la nuit devant nous et tu as insisté; je gémissais sous tes caresses expertes, comme toujours. Tu t'es étendu sur le dos et je t'ai chevauché avec fougue. J'adore cette position, c'est celle qui me donne le plus de plaisir. Tu n'as pas arrêté de louanger ma beauté, mes seins merveilleux, que tu pétrissais avec doigté. C'était vraiment agréable. Assise sur toi, je pouvais tout contrôler maintenant. Le rythme, surtout. Mes cheveux défaits me balayaient le visage.

Ton regard était si intense! Je me sentais libre, je me sentais femme! J'avais tout à coup conscience de l'effet que je pouvais produire sur toi, parfois. Je crois bien que nous avons pratiqué toutes les positions possibles cette nuit-là: assise sur toi de face, puis de dos, moi sur le ventre, toi derrière moi, moi debout les mains sur le mur, toi toujours derrière moi, et puis d'autres encore…

Ce fut une nuit extraordinaire, mémorable! Mais je ne crois pas qu'on pourra répéter l'expérience, car ce ne serait pas aussi magique que la première fois. Je préfère garder mes souvenirs. On trouvera certainement autre chose à inventer…

Le bon voisinage

Ça fait au moins une heure que je l'observe travailler. C'est mon voisin. Il a accepté de tondre la pelouse pour me rendre service. La chaleur fait perler des gouttes de sueur sur son front, qu'il essuie régulièrement d'un geste de l'épaule. C'est un peu un tic qu'il a… Ses épaules sont musclées, fruit évident du travail physique quotidien. Ce n'est peut-être pas le plus bel homme du pays, on l'éliminerait rapidement d'un concours de beauté, mais pourtant j'aime bien ses petites fesses rondes et ses mains… De belles grosses mains qui doivent devenir très habiles au moment propice.

Je m'imagine facilement ses immenses doigts au bord de ma fente humide… Je sens très bien son index s'enfoncer dans mon anus et son pouce dans l'autre entrée privée, tout aussi glissante. Je peux très bien ressentir les effets de cet endroit si personnel… Pendant ce temps, je ne pourrais pas rester inactive, il faudrait bien me rendre utile ! D'après la protubérance dans son pantalon, je n'ai aucun doute sur la grosseur et la longueur de son membre bien bandé, subissant mes assauts féminins avec ma bouche, ma langue, puis avec mes mains sur ses couilles pleines et velues… Quel agréable moment ce serait !

Il se retourne vers moi et me fait un clin d'œil complice. Mon Dieu ! A-t-il pu lire dans mes pensées ? Je rougis un peu, par gêne, je ne sais pas. Je lui rends son sourire. J'ai l'entrecuisse moite et la chaleur m'affecte, moi aussi. Il s'approche et me demande un verre d'eau. Je ne peux certainement pas lui refuser ça. Il me suit à l'intérieur. Alors que je fais couler l'eau du robinet, il se place derrière moi et je sens son souffle sur mon oreille.

— Vous savez que vous avez un très joli cul ? (C'est si mignon à entendre.)

— On me l'a déjà dit.

Je ne peux m'empêcher de sauter sur l'occasion.

— Tu as envie de le voir de plus près, peut-être ? (Je ne me suis pas retournée, ces mots m'ont échappé, je les regrette déjà.)

— Bien sûr, j'aimerais bien.

De ses deux mains, il fait descendre mon pantalon de jersey. Je me retrouve les fesses nues devant lui, le pantalon aux chevilles. Je ne bouge pas, il m'enlève le verre d'eau des mains, le boit, le pose sur le comptoir. Je n'ai toujours pas bougé d'un centimètre, je ne sais pas quoi faire, je reste figée là. Pas lui. Je peux sentir sa queue collée contre moi, essayant d'ouvrir un passage dans mon vagin. Je décide donc de lui faciliter la tâche en me penchant davantage. Il m'enfile d'un mouvement brusque. Sans l'avoir vu, je sais maintenant que son membre est bien proportionné, je le sens profondément en moi. Je peux sentir l'odeur de la sueur qui se dégage de son corps, mêlée au parfum du sexe humide... C'est vraiment enivrant.

Il me tient le bassin des deux mains et active le mouvement ; on peut entendre un clapotis chaque fois que nos corps se touchent. Il sait y faire. Je jouis rapidement, mais en silence, seul le son de ma respiration me trahit. Il me suit et éjacule tout de suite après, dans un râle typiquement masculin.

Il saisit un papier mouchoir sur le comptoir et s'essuie le bout du pénis. Il remonte son pantalon et, toujours derrière moi, moi qui ne bouge ni ne le regarde, il reprend un verre d'eau par-dessus mon épaule et le boit d'un trait!

— Merci, madame, c'était très rafraîchissant!

Puis il repart à l'extérieur. Je suis toujours là, le pantalon aux chevilles, sentant le sperme couler le long de mes cuisses, réalisant soudainement ce qui vient de se passer. C'est très important de pouvoir se fier sur ses voisins... en toute occasion!

Le pouvoir de la pensée

Je suis assise là, dans mon bureau, et je pense à toi. Je pense à nos ébats intimes et tu me manques. Alors je ferme les yeux et je laisse aller mon imagination, je m'invente un scénario : tu arrives à l'improviste, tu entres et tu fermes la porte.

Je vérifie si l'on peut nous voir à travers la fenêtre, mais le store est bien fermé. Je m'approche de toi, et juste à me regarder tu sais ce que je veux. Tu sais ce qui va se passer dans les cinq prochaines minutes. Nos lèvres se joignent, c'est un baiser doux, tendre et passionné, comme toujours.

Tes mains vagabondent sur mon dos, mes reins, elles s'insurgent dans mon pantalon, elles sont chaudes et décidées. J'adore tes mains lorsqu'elles sont sur moi, je ne m'en lasserai jamais, je crois.

Notre baiser s'éternise, nos langues s'emmêlent, tu embrasses si bien. Je m'excite. Tes doigts ont pénétré un terrain plus audacieux et ma main s'empare de ton membre à travers ton pantalon. Je peux sentir ton désir, ta rigidité, ton excitation.

Tu pousses un gémissement. Beaucoup trop embarrassant, ce pantalon. Tu sens bon, tu viens de te raser, l'odeur m'enivre, comme je t'aime.

Ma main continue son manège et tu sembles l'apprécier beaucoup. Bon, d'accord, nous sommes dans mon bureau, n'importe qui peut surgir à tout moment, mais ça ne nous arrête pas. Je suis toute mouillée, ta main est toujours au même endroit, la mienne aussi. Tu durcis de plus belle. Comme j'aimerais m'asseoir sur toi, là, à l'instant, et sentir ta pénétration, mais nous ne pouvons pas. Nos respirations s'accélèrent et notre plaisir monte. Je t'aide maintenant en me frottant à ta main, j'essaie de suivre le mouvement de ce va-et-vient que tu as engagé. Je suis excitée de plus en plus; tu peux sentir mon jus de plaisir envahir ma fente.

Moi, je veux te prendre dans ma main, te toucher... Alors je m'introduis par la fermeture éclair de ton pantalon et j'empoigne ta verge dure et bien raide. Une larme de sécrétion s'est glissée au bout et mes doigts sont gommés à son contact mais, peu importe, je me sens encore plus excitée.

Soudain, je me rends compte que j'ai chaud, je me retiens pour ne pas crier, je vais jouir, c'est certain, je vais jouir... c'est évident... là... je jouis, maintenant!

Mon corps se tend, mon ventre explose... Comme c'est bon! Je retiens un cri au fond de moi, j'insiste pour que tu cesses ton ballet avec ta main si bien installée entre mes cuisses. Je t'embrasse, comme pour te remercier de ce moment d'extase exquis.

J'ouvre les yeux, je me surprends à me caresser entre les jambes, je suis vraiment excitée. J'ai vraiment envie de jouir pour de vrai maintenant, pas seulement en imagination. Je me lève et sors de mon bureau. Je dis à la secrétaire que je dois aller à la salle de bains. Si elle savait pourquoi...

Dans la salle de bains, il n'y a personne, alors je m'enferme dans les cabinets du fond et j'entreprends une masturbation féminine typique. Mes doigts sont agiles, ils connaissent très bien la besogne. Je suis très mouillée et mes doigts glissent. Je caresse lentement mon bouton de plaisir de haut en bas en un petit mouvement sensuel et j'atteins l'orgasme en trente secondes. Un beau moment intime, à moi toute seule. Je crois que je prendrai un grand plaisir à te raconter ça, ce soir.

Ensuite, je retourne tranquillement à mon travail, bien innocemment. La secrétaire m'interpelle lorsque je passe devant elle.

— Est-ce que ça va ? Tu es toute rouge !

— Ah oui ? Eh bien, en fait, je me sens un peu bizarre, mais ça ira.

Bien sûr, que ça ira…

Personnalité limite

J'ai une amie très spéciale. Elle a eu récemment un diagnostic de « personnalité limite ». Je ne suis pas une spécialiste en psychologie, mais je sais que, selon cette amie, le penchant pour le sexe compte parmi les troubles émotionnels de cette maladie.

Cette fille a toujours plein d'histoires croustillantes à me raconter. Pour elle, le sexe est une manière de se valoriser dans la vie, et elle baise avec tout ce qui bouge, ou presque. Selon elle, baiser c'est comme manger. Une activité naturelle nécessaire et sans conséquence, une façon aussi de s'amuser.

L'autre jour, elle est venue souper chez moi. Comme d'habitude, elle avait une panoplie d'anecdotes à me raconter. Elle va chez le chiropraticien, elle baise avec lui ; elle va chez le massothérapeute, elle baise avec lui. Cette fois, il s'agit de son chauffeur d'autobus ! Il est devenu son amant. Elle louange ses prouesses. C'est un amant extraordinaire, passionné. Elle dit avoir rarement connu de telles extases ! Avec lui, ce n'est pas seulement le sexe, c'est la passion. Il lui téléphone et lui laisse des messages érotiques… Elle est tellement excitée, lorsqu'elle me raconte cela, qu'elle sort son portable de son sac et m'en fait écouter un :

Salut, ma belle blonde… Je pense à toi sans cesse et je ne peux m'empêcher de nous imaginer ensemble en train de baiser. Je te vois à quatre pattes devant moi, je suis derrière, je te lèche de ma langue humide, en commençant par le cou, puis je descends doucement le long de ton dos, jusqu'à tes fesses qui s'ouvrent et me montrent ton beau petit cul, si parfait, prêt à recevoir ma queue bien dressée !

Je peux voir la sève s'écouler de ton antre, la goûter… Comme tu es impatiente ! Mais je vais te faire attendre. Je veux que tu me désires, que tu me supplies de te prendre. Je te relève la tête en tirant sur ta belle crinière blonde et je t'interdis de bouger, tu es à moi! C'est moi qui décide quand ce sera le moment. Je me frotte à toi, mon sexe est de plus en plus raide et plus prêt que jamais. J'insinue un doigt dans ton anus, cet endroit si étroit, si érogène. Ce soir, il sera à moi. Tu gémis, tu te tortilles et j'introduis doucement mon membre dans ton vagin, puis j'en ressors aussi doucement. Ça t'énerve… mais je m'en fiche! Je te veux soumise, suppliante, gémissante. J'ai introduit deux doigts maintenant. Tu gémis encore plus. Mon pénis étant bien humecté, j'entreprends de te prendre par cet endroit si étroit dont tu ne m'as pas encore autorisé l'accès. Tu me laisses faire, alors je te crois consentante. Ma pénétration est lente, mais combien assurée!

Tu gémis de douleur, de plaisir, qui s'en soucie? Tu gémis, tu te tortilles encore, ta respiration haletante m'excite, tu m'appartiens, ma belle blonde, ma pute de passage! Une fois bien en place, je tire ta crinière blonde encore plus fort. C'est magique, tu es la maîtresse la plus belle que j'ai jamais eue. Mon mouvement est langoureux, mais précis. Maintenant, tu cries, tu frappes avec tes poings l'oreiller sous toi et tu me traites de salaud. J'aime bien cette façon que tu as de m'insulter. Tu m'injuries de plus en plus, tu craches des jurons que je n'ose répéter, ça m'excite encore plus et je jouis en toi. Bien au fond de tes entrailles.

J'adore faire l'amour avec toi, je te rappelle bientôt pour un autre rendez-vous, ma belle blonde… Passe une bonne nuit.

Mon amie écoute tous les jours les messages de son amant. Ça l'excite et elle se masturbe. Il lui tarde tant de le revoir… Plutôt compréhensible, non ?

Un beau flirt

Tous les matins, je prenais l'ascenseur en même temps que lui. Il était plutôt bel homme. Pas de quoi faire un film à Hollywood, mais le genre à attirer l'attention des dames sur son passage. Grandeur moyenne, cheveux noirs, tempes grisonnantes, yeux noisette, un regard chaud et profond, à vous faire fondre.

Il portait toujours veston et cravate. Très à la mode. Très chic! Il avait du goût, certain, et des sous, car, de toute évidence, il s'agissait de haute élégance! Toujours impeccable. Il me saluait d'un signe de tête, et j'avais presque, je dis bien presque, droit à un semblant de sourire; je pouvais le lire dans ses yeux, je crois.

Moi, je lui répondais par un sourire timide. Peut-être pour réagir comme lui, avec réserve. Nous étions côte à côte dans l'ascenseur, sans parler, tous les deux à penser probablement la même chose. Il m'intimidait, certes, mais je l'intimidais aussi. Les premières fois, il appuyait sur le bouton du cinquième étage, puis j'appuyais sur celui du quatrième. Par la suite, il appuyait sur les deux boutons; il faisait finalement preuve de courtoisie. Puis, à un moment donné, je ne sais plus quand, notre relation tiède et timide s'est modifiée.

Par un matin d'hiver où il faisait très froid, il s'appuya contre une paroi de l'ascenseur et me regarda droit dans les yeux tout le long du trajet. Je me sentis mal et fus incapable de soutenir son regard intense. Au moment où j'allais descendre, au quatrième, il m'intercepta et m'adressa la parole pour la première fois:

— Je me demandais... si nous ne pourrions pas faire plus ample connaissance, vous et moi.

J'étais estomaquée! Je figeai presque sur place. J'en avais tellement envie! Mon cœur se mit à battre à tout rompre. Mes joues étaient rouges et je me sentais maintenant toute chaude. Mes tempes bourdonnaient.

Les portes se refermèrent avant que j'aie eu le temps de dire quoi que ce soit. Pas grave, je redescendrais l'instant d'après. Il me regardait d'un air interrogateur, attendant ma réponse… et je m'empressai de la lui donner.

— Bien sûr, j'aimerais beaucoup.

— On pourrait aller déjeuner ensemble ce midi ?

— Pourquoi pas ? À quelle heure, et où ?

— À midi, ça vous irait ? Je vous attendrai en bas, nous pourrions aller au petit restaurant du coin. De combien de temps disposez-vous ?

— D'un peu plus d'une heure. (En fait, c'était moins que cela, mais je m'arrangerais.)

Hésitation de sa part…

— Vous savez, ce serait encore mieux si nous allions dîner ce soir, nous aurions beaucoup plus de temps !

Je ne refuserais certainement pas une telle invitation. Je l'attendais depuis si longtemps !

— D'accord.

— Parfait ! Alors, ce soir, dix-huit heures, au même restaurant.

Les portes s'ouvrirent de nouveau et il sortit. Il me jeta un « à plus tard » désinvolte, mais ô combien significatif ! Il était satisfait de ma réponse, c'était évident : ses yeux scintillaient. Il avait une belle voix chaude et un peu rauque. Je flottais presque, j'étais si contente ! On se plaisait, lui et moi, je le ressentais en mon for intérieur depuis longtemps. Combien de fois je m'étais endormie en fantasmant sur lui ! Je fus prise d'un vertige… passager seulement.

L'ascenseur n'avait pas redescendu, j'avais oublié d'appuyer sur le bouton du quatrième étage. Pas perturbée, la fille ! Il fallait bien que je retourne au boulot !

J'avais l'impression d'être dans une autre dimension. De ne plus être dans mon corps. C'était étrange, comme trouble. Je volais… je me sentais légère ! Je me demandais si lui aussi ressentait un certain trouble, s'il avait, comme moi, des papillons dans le ventre.

Je n'ai sûrement pas besoin de vous dire que la journée me parut une éternité ! À seize heures trente, je mis mon manteau et quittai le bureau à la hâte.

Qu'allais-je porter ? Mon Dieu ! Arrivée chez moi, je me suis douchée et j'ai pris soin de nettoyer chaque recoin de mon corps. Ensuite, j'ai dû me changer au moins huit fois ! On pouvait voir la montagne de vêtements sur mon lit. Du rouge? Non, trop sexy. Du brun? Trop terne. Du noir? Ouais, du noir, classique et passe-partout. Les hommes aiment le noir.

Je m'imaginais dans ses bras, sa langue fouillant mon entrecuisse avec expérience et doigté. J'enfilai mes plus beaux dessous. Je pouvais sentir ses mains sur mes seins ronds, sa bouche s'attardant sur mes mamelons durcis par le désir. Ses mains, que j'avais bien étudiées, masculines, viriles, se promenaient sur ma peau avec tendresse... Je mouillais, rien qu'à y penser. Mon ventre bouillonnait, alors je pris ma brosse à cheveux sur mon bureau et avec le manche (gros et renflé) je frottai mon clitoris afin d'apaiser mon désir. C'est un exercice auquel je m'adonne souvent en solitaire. Je me regardais dans le miroir en même temps, ça m'excitait. J'eus un orgasme rapidement, j'essuyai le liquide qui coulait dans ma fente. Voilà, ainsi je pouvais tenir jusqu'à la fin de la soirée... Quant à lui, j'allais lui tailler la pipe de sa vie! Il en redemanderait encore et encore...

Bon, assez, maintenant. Je devais me dépêcher, sinon je serais en retard à notre rendez-vous!

Je pris quelques minutes pour ranger le bordel dans ma chambre, au cas où je ramènerais mon beau flirt pour la nuit!

J'arrivai au restaurant juste à l'heure. Il était déjà là. Dans son beau costume sombre, il m'attendait. Lorsqu'il me vit, j'eus droit à un sourire plus marqué que d'habitude. J'en fus très émue.

— Bonsoir. Vous êtes ravissante!

J'avais revêtu une robe noire très moulante.

— Bonsoir…

Grand vide, aucun n'osait parler.

Il avait un charisme d'enfer! Je me sentais si importante à ses côtés! Peut-être que, finalement, mon célibat achevait… Je me sentais si intéressante, il n'avait d'yeux que pour moi.

Une fois assis à notre table, il daigna enfin rompre le silence.

— Je suis vraiment content que vous ayez accepté de dîner avec moi!

Et moi donc, mon cher!

— Moi aussi, je suis très contente d'être venue. (Je me faisais charmante, mes yeux brillaient d'excitation!)

Il me faisait de l'effet, je ne pouvais le cacher! Je me sentais câline, la soirée s'annonçait mémorable! Je me demandais comment était son pénis… je l'imaginais long, droit et délicieux!

C'est alors qu'il me lança :

— Je crois que je vous dois des explications.

Je le regardai avec étonnement. Était-il marié ? Il me voulait comme maîtresse seulement ? Pire encore, il était homosexuel, il voulait être mon ami ! Mes papillons s'interrompirent soudainement, en suspens…

— Que voulez-vous dire ?

Mes yeux ne brillaient plus. À voir son expression déconfite, je me sentis l'estomac noué…

— Connaissez-vous ACE ?

De quoi parlait-il ? Je répliquai…

— Vous parlez du groupe de débiles qui se vante de parler et de baiser avec les esprits ?

Trop tard. Je l'avais dit, et de manière peu aimable, avec une moue dégoûtée. Je pus voir son mécontentement sur son visage. J'avais tout gâché !

— Dommage, je pensais que vous étiez du genre à être recrutée, vous auriez fait une excellente candidate… Votre aura est très belle !

— Quoi ? Mon aura ? Mais de quoi parlez-vous au juste ?

— Les belles femmes sont toujours les bienvenues chez nous. Nous avons beaucoup de… plaisir… avec elles.

Oui, bien entendu, je voyais où il voulait en venir : le sexe libre, les échanges, les partouzes, tout le tralala, quoi... Tout le monde était au courant des pratiques particulières de ce groupe bizarre qui avait fait la une de tous les journaux récemment.

— Cela ne m'intéresse absolument pas !

Je me levai brusquement. Mes oreilles se mirent à bourdonner, de colère cette fois. Quelle déception ! Il se leva à son tour. Je quittai le restaurant sur-le-champ, le laissant planté là, sans voix.

Je fus vite de retour à la maison. Je me sentais tellement idiote ! Tous ces papillons inutiles pour lui ! Tous ces efforts pour me préparer à cette rencontre que j'imaginais romantique ! La jolie robe, les dessous. J'éprouvai presque un malaise en apercevant la brosse à cheveux. Franchement !!! Du coup, toutes mes pensées me parurent étrangement ridicules.

C'est tout de même bizarre ! Après cette soirée, je ne le rencontrai plus jamais dans l'ascenseur ! À croire qu'il était lui-même un de ces prétendus esprits qui hantent notre monde...

Plein la vue

Mon copain et moi étions vraiment contents de notre nouvel appartement. Un quatrième étage avec vue sur un cours d'eau, de grandes fenêtres plein soleil l'après-midi et un superbe balcon. Nous avions fait l'acquisition de cet appartement par l'entremise d'un agent d'immeubles, ami de la famille. Nous lui avions fait confiance et nous souhaitions être heureux dans ce nouveau nid d'amour.

Construit sur un terrain pentu, l'immeuble avait une architecture triangulaire et, de ce fait, nous pouvions voir ce qui se passait sur le balcon du dessous et sur celui de droite.

Par une chaude soirée d'été, alors que nous étions assis sur le balcon à finir la bouteille de vin entamée au dîner, notre attention fut attirée par de l'activité sur le balcon de droite. Un homme et une femme étaient nus sur une chaise longue, en train de faire l'amour. La femme, qui avait de gros seins, était étendue sur le dos, les bras agrippés au dossier de la chaise, les jambes écartées, et l'homme était à genoux par terre, penché vers l'avant, en train de manger la chatte de sa compagne. On pouvait bien voir son cul musclé et imaginer son entrejambe ; il était évident qu'il s'agissait d'un mec bien roulé. La femme gémissait, sans se soucier de nos regards. Nous étions hypnotisés par cette scène. Puis, le gars s'est levé, face à nous, son sexe bandé bien en vue, et il nous a salués de la main !

Ensuite, la fille blonde s'est installée dos à nous, à genoux, les jambes écartées, et elle s'est mise à lui sucer le gland. Ils avaient pris cette position en s'assurant que nous pouvions bien tout voir ! Le mec lui tenait la tête et lui imposait son rythme. Nous étions là, sans dire un mot, à les observer. J'ai senti l'excitation m'envahir le bas du ventre et, doucement, j'ai étiré la jambe pour mettre le pied sur la queue durcie de mon conjoint. Il n'était pas indifférent à ce spectacle, lui non plus! Ça nous excitait!

L'homme s'est placé ensuite derrière la fille, qui s'était mise à quatre pattes sur la chaise. Il l'a enfilé d'un seul coup et ils ont entamé la danse de la pénétration. On pouvait voir les seins de la femme ballotter au rythme de ce va-et-vient. C'était vraiment excitant. Nous avions l'impression de regarder un film porno.

J'ai accentué mes caresses avec mon pied sur le pénis bien bandé de mon partenaire. Il était clair que la soirée entre mon copain et moi se terminerait par une partie de sexe! Je n'avais pas de slip et je portais une robe de nuit très courte, alors j'ai écarté les jambes pour qu'il puisse voir ma chatte bien luisante. Mon geste ne lui a pas échappé. Il me souriait, je le trouvais si beau!

Le manège des voisins a duré au moins une heure. Ils ont essayé toutes sortes de positions. On pouvait entendre les grincements de la chaise, leurs soupirs et leurs cris d'extase, rien ne semblait les gêner. Notre présence ajoutait à leur motivation, je crois bien. Dans leurs ébats, ils s'assuraient qu'on puisse toujours tout voir.

Quand ce fut terminé, nous étions bien réchauffés et prêts nous aussi à échanger des caresses. Nous sommes rentrés, la tête pleine d'idées. Je n'étais pas prête à baiser sur le balcon devant tout le voisinage. Je préférais l'intimité de notre nouveau nid. Nos quelques vêtements ont vite volé à travers la pièce. Nous allions faire l'amour sur notre nouveau sofa de cuir couleur caramel.

Nous étions très excités et voulions faire concurrence à nos voisins, alors nos baisers étaient intenses, nos mains ne chômaient pas, j'avais la fente bien humide, le bouton de plaisir bien gonflé, et, lorsque sa langue s'y est attardée, ce fut magique ! Quelques secondes ont suffi pour m'envoyer au septième ciel !

Ensuite, mon copain s'est installé sur le sofa et je me suis assise sur lui de dos, bien empalée. J'ai appuyé mes mains sur la table basse, les pieds au sol. Voilà une excellente position pour provoquer un mouvement bien senti sur son sexe prêt à exploser ! Je suis manifestement dans une forme excellente, car j'ai dû faire ce mouvement pendant de longues minutes. Je pouvais bien sentir sa queue glisser en moi, entrer puis ressortir, puis entrer encore… C'était vraiment bon, comme gymnastique !

Ensuite, il a voulu me prendre différemment. Maintenant, c'est moi qui étais assise sur le sofa, et lui était à genoux face à moi, le pénis juste à la bonne hauteur pour fourrager entre mes cuisses bien ouvertes. Il m'a pénétrée lentement mais sûrement, je le sentais bien au fond de mon centre chaud, et je tentais de resserrer les muscles pour mieux le sentir. Je voulais qu'il sente lui aussi la pression autour de sa verge. Je gémissais de plus en plus et il respirait de plus en plus fort. Nous avons eu un très bel orgasme, long et assorti de plusieurs spasmes.

Nous pouvons maintenant conclure que notre sofa est très solide, car nous avons expérimenté plusieurs positions différentes ! Il n'a pas bougé d'un centimètre, cet achat est un choix judicieux.

Le lendemain matin, nous sommes allés faire des courses en ville. Dans le parking, nous avons croisé le couple du balcon. Le gars nous a salués avec un large sourire !

— Salut, vous deux ! J'espère que vous avez apprécié votre soirée !

J'étais un peu gênée, je ne savais pas quoi répondre, mais mon copain a de la répartie !

— Ouais, c'est pour quand, la prochaine représentation ?

Tout le monde a éclaté de rire. Mais on n'a pas eu de réponse. Ils sont montés dans leur auto en riant et sont partis.

Depuis ce temps, nous jetons un coup d'œil sur la droite, pour voir si cela ne se reproduirait pas. Mais l'automne est arrivé et, les soirées chaudes se faisant de plus en plus rares, ça ne s'est pas répété. Dommage!

Douce brutalité

Tu as toujours des idées plutôt… disons… différentes. Lorsque nous avons emménagé dans notre nouveau condo, tu as manifesté le souhait qu'une bonne fois nous fassions l'amour dans le hall. Je t'ai répondu que tu étais complètement fou, mais, bien sûr, nous avons eu une fois l'occasion de réaliser ta… folie!

Nous revenions d'une soirée très arrosée de bon vin. J'étais un peu ivre, donc je faisais la comique! Tout en montant l'escalier (nous habitons au troisième), nous stoppions à chaque palier pour nous embrasser fougueusement. Comme d'habitude, tes mains étaient très baladeuses. Lorsque nous sommes arrivés à notre étage, tu m'as déclaré :

— On n'entre pas, on fait ça ici.

— Faire quoi ? demandai-je innocemment.

— Ceci…

Et, là, tu m'as attaquée d'un baiser intense, avec ta langue pleine d'ardeur. Elle pénétrait ma bouche avec fermeté et douceur. Tes mains se promenaient sur moi avec violence, tu m'as poussée contre le mur, tu as emprisonné mes bras solidement et tu as déclaré :

— Ce soir, je te viole, ici.

Tu es devenu encore plus fougueux, brusque, tu me faisais presque mal. J'y prenais tout de même un certain plaisir et j'ai décidé que, pour apprécier le tout, je devais jouer le jeu avec toi jusqu'au bout. Tu m'as forcée à m'agenouiller, tu as dégrafé ton pantalon et ton regard était dur, méchant. Tu as lancé :

— Suce-moi, sale garce ! (Quel jeu d'acteur ! Tu aurais mérité un Oscar !)

Tu venais de pincer une de mes cordes sensibles, les gros mots m'excitent toujours. Je me suis exécutée sans rechigner. Je trouvais cette situation enivrante. Tes mains ont agrippé mes cheveux, tu les as tirés vers l'arrière. Tu m'as relevé la tête, et j'ai pris ton pénis dans ma bouche : il était fier, solide et ferme, bien tendu. Tu l'as introduit sans aucune délicatesse et tu as immédiatement commencé à donner des coups de reins pour me donner le rythme. J'ai pris tes testicules dans mes mains ; j'aime bien tâter ces petites boules, jouer avec elles… Je t'étais soumise, entièrement. J'étais devenue ta victime, et toi, mon agresseur. Tes doigts fourrageaient dans mes cheveux, je sentais le désir monter dans mon ventre. Tu as exigé que je te regarde. J'ai obtempéré. Comme la bonne esclave que j'étais en cet instant.

Tout à coup, tu m'as ordonné de me lever, tu voulais passer à autre chose. Tes mains étaient déjà sous ma jupe, les collants n'ont pas tardé à dégringoler, tu les as déchirés d'un geste sec. Après avoir vérifié l'état de ma région féminine, déjà bien humectée, tu m'as forcée à me mettre dos à toi et j'ai vite compris où nous mènerait ce manège. Tu avais décidé de me violer ce soir-là, et de violer un endroit intime avec lequel tu étais délicat habituellement… Je ne te connaissais pas ce côté violent.

Pendant quelques secondes, j'ai eu envie de te refuser ce privilège, mais je me suis retenue, car j'avais accepté de jouer le jeu jusqu'au bout.

J'étais maintenant dos à toi, les mains sur le mur du corridor, la jupe relevée, les cheveux en bataille, les collants aux chevilles, en lambeaux. Je me demandais si le voisin, qui est toujours à surveiller ce qui se passe dans l'immeuble, était en train de nous regarder par l'œil de sa porte d'entrée... Tes gestes m'ont sortie de mes pensées, tes doigts ont visité ma fente mouillée pour me lubrifier l'anus. Comme j'étais très excitée, ce ne fut pas difficile, puis tu as promené ta verge de haut en bas, tu m'as poussée pour que je courbe l'échine, meilleure position pour toi et pour moi.

— Vas-y doucement, ai-je murmuré. (J'avais peur que tu me blesses.)

— Ferme-la, sale pute... (Épatant, tu jouais ton rôle de plus en plus sérieusement.)

J'ai senti ton pénis au bord de mon orifice, tu as poussé doucement, d'abord quelques centimètres. J'ai tenté de me détendre un peu et j'ai fait entendre mon mécontentement, mais tu y as vite mis fin en me plaquant une main sur la bouche. Cette aventure prenait une étrange tournure.

— T'aimes ça, te faire enculer, eh bien, ce soir, tu vas en avoir pour ton argent...

Là, tu as poussé encore plus loin, c'était presque insupportable, mais quand tu as commencé ton va-et-vient, c'est devenu plus tolérable. Puis, je me suis détendue un peu et la sensation est devenue, dans une certaine mesure, plus agréable. Ton autre main s'est insinuée sous ma blouse, mon soutien-gorge était détaché depuis belle lurette, et tu as rapidement trouvé le chemin de mes seins. Tu les as malmenés eux aussi, tu gémissais de plaisir, et moi, de douleur et de plaisir en même temps, je ne sais plus… Je voulais jouir, moi aussi, alors j'ai retiré ma main droite du mur et je l'ai dirigée vers mon clitoris pour me caresser.

J'étais tellement excitée que ça n'a pas été long… Te sentir me remplir par-derrière, devant la porte de notre appartement, de façon aussi surprenante, je dois avouer que le tout me semblait très érotique.

J'ai senti venir ton plaisir, je sens si bien l'éjaculation dans cette position ; je sens monter la sève chaude, je la sens pénétrer, malgré la brûlure de mes entrailles. Je ressens chacun de tes spasmes… C'est tout à fait exquis !

Tu t'es retiré, tu m'as embrassée tendrement, puis tu m'as dit :

— Alors, tu as aimé notre petite mise en scène ?

Ensuite, nous sommes entrés chez nous, non sans jeter un regard sur la porte du voisin. Tant pis, s'il avait vu quoi que ce soit. Tu as dit qu'on avait dû le faire bander, le vieux, et qu'il avait dû nous envier pour ce beau moment.

La chambre des joueurs

Ma copine est très curieuse. Elle parle beaucoup et s'intéresse à tout ce que je vis. Elle me pose toujours plein de questions, ce qui m'énerve la plupart du temps.

Adepte du hockey sur glace, je suis membre d'une ligue d'amateurs. Nous jouons une fois par semaine, le jeudi soir. J'adore cela, nous sommes entre copains, nous nous défonçons au sport que nous aimons, ensuite nous finissons la soirée dans un bar, à prendre une bonne bière et à échanger sur nos sujets de prédilection : les voitures, le sport et, bien entendu, les dames !

L'autre jour, ma copine me parlait de son amie Nathalie qui lui avait avoué que Julien était un mauvais baiseur et qu'elle en avait marre. Je rétorquai bien candidement :

— Ah, ouais ? Ce n'est pas ce que Julien raconte.

— Comment ça, il t'en a parlé ?

Erreur ! GROSSIÈRE ERREUR ! Je n'aurais jamais dû dire cela. Les femmes aiment nous tirer les vers du nez. Surtout ma copine, elle ne lâche pas facilement sa proie.

— Euh… eh bien, je ne sais plus quand… (Je tentais de me faire évasif pour la dissuader, comportement inutile, bien entendu.)

— Qu'est-ce qu'il a dit ? Allez, raconte-moi.

J'étais dans la merde ! Je ne pouvais pas lui révéler quelque chose qui avait été dit dans la chambre des joueurs, j'allais me faire arracher la tête ! *Ce qui se dit dans la chambre des joueurs doit rester dans la chambre des joueurs !* Ça ne doit pas en sortir ! Tous les mecs qui jouent au hockey connaissent ce vieil adage !

Je ne pouvais tout de même pas lui dire que Pierre-Yves trompe sa femme une fois par mois avec des putes qui lui font des pipes d'enfer, qui avalent tout, et qu'il adore cela, privilège que sa femme lui refuse. Parfois même, il s'en paye deux à la fois, qui le sucent simultanément ! Délire total, selon lui !

Et que dire de Stéphane, qui s'est vanté d'avoir eu une relation avec des jumelles ? Identiques, en plus ! Il était étendu sur le dos, les deux filles à sa merci : elles l'ont sucé à tour de rôle, il voyait double, c'était exquis ! Pendant qu'une le chevauchait, l'autre se faisait manger la chatte, et elles s'embrassaient durant l'action. Ensuite, elles inversaient les positions, mais pas de changement pour lui, même odeur, même goût, époustouflant ! Puis elles s'étaient mises à quatre pattes toutes les deux ; il les avait enfilées l'une après l'autre, et quelques coups dans le cul de l'une, quelques coups dans le cul de l'autre, et ainsi de suite !

Après une éjaculation d'enfer, il a voulu reprendre son souffle, alors les filles se sont masturbées mutuellement devant lui, image absolument hallucinante ! Elles étaient chaudes, ces jumelles, elles lui avaient procuré de si belles caresses ! L'une lui suçait le membre, pendant que l'autre jouait avec ses doigts dans son anus. C'était impossible de ne pas bander de nouveau ! Leurs langues étaient très actives, il était incapable de les distinguer. Des langues chaudes, douces, de grandes bouches, gourmandes, prêtes à tout !

Il ne pourrait jamais oublier ça ! Il les avait baisées dans chacun de leurs orifices, ils avaient joué au sexe toute la nuit ! Une expérience exceptionnelle, inoubliable ! Non, je ne pouvais pas raconter cela.

Et comment aurais-je pu parler d'André, qui a une si grosse queue. Il passe son temps à se comparer aux autres mecs. « Je suis le *king* ! », dit-il. Pas une semaine sans qu'on ait droit à sa déclaration. Sans parler de son histoire de sexe avec sa secrétaire, la jeune et plantureuse Natacha, qui a de « grosses boules » ! Elle le masturbe entre ses énormes seins, et il éjacule sur sa gorge. Ensuite, Natacha étend le sperme sur ses seins comme une crème, s'en lèche les doigts, et elle jouit en faisait cela, sans même qu'il la touche ! C'est une fille très chaude qui peut jouir trois ou quatre fois de suite. Une multiorgasmique !

Elle aime se faire prendre de toutes sortes de manières. Chaque fois qu'il la pénètre, quelques coups suffisent à la faire crier de plaisir ! Elle a un cul d'enfer, paraît-il. André frotte son pénis bien bandé sur son clitoris gonflé par le désir, et quelques secondes suffisent à la faire décoller encore et encore ! Et elle en redemande !

— Recommence, mon chéri, encore, je veux jouir encore ! J'aime tellement ta queue, je la veux juste pour moi !

Toutes ces petites escapades se passent dans son bureau ou dans les toilettes. Ils attendent à la fin de la journée que tout le monde soit parti, prétextant du retard dans le travail pour rester au bureau !

Non, vraiment, je ne pouvais pas raconter ça à ma copine.

Je ne pouvais non plus lui parler de Jonathan, l'original, les bras entièrement tatoués de femmes et de dragons, qui se fait faire des pipes par une collègue, dans les toilettes de l'usine où il travaille. Gourmande, cette femme a des lèvres pulpeuses, une langue douce et habile. Le membre de Jonathan disparaît entièrement dans sa belle grande bouche. Elle le lèche tel un cornet de crème glacée, l'aspire, et ça le rend fou ! Elle le fait jouir en quelques minutes. Pour lui rendre sa gentillesse, il la masturbe. Il n'a qu'à glisser la main dans sa petite culotte pour masser son bouton excité par la fellation, puis elle jouit très vite ! Non, je ne pouvais pas lui raconter cela. Les copains regorgent d'histoires croustillantes, certes, mais il est interdit de révéler quoi que ce soit. *Ce qui se passe dans la chambre des joueurs doit rester dans la chambre des joueurs !*

Ma copine était très énervée ! Elle se tenait devant moi les bras croisés, déterminée à me faire parler !

— Dis-moi ! Qu'est-ce qu'il a dit, Julien ?

En fait, il nous avait révélé que Nathalie disait n'avoir jamais été baisée ainsi, qu'elle n'avait jamais été si satisfaite de sa vie sexuelle. Tout de même étrange... Comment allais-je m'en sortir, maintenant ?

— Eh bien, il a simplement dit qu'il est bien avec elle et que tout va pour le mieux.

— Quand a-t-il dit une telle chose, et dans quelles circonstances ?

Vraiment, je m'étais mis les pieds dans les plats, elle ne lâcherait pas le morceau facilement ! Elle avait les yeux ronds, remplis de curiosité !

— Je ne m'en souviens plus très bien, ce n'était pas important pour moi. Tu sais, nous, les mecs, nous parlons d'autos, de sport, mais rarement de nos copines... (J'espérais être convaincant.)

— Vous êtes des primates!

Des primates! Ouais, c'était un bon terme, ça. Sur ce, ma copine s'est retournée d'un air agacé et elle a finalement lâché prise. J'avais réussi à m'en sortir! Dorénavant, je devrai faire plus attention à ce que je dis.

Ce qui se passe dans la chambre des joueurs doit rester dans la chambre des joueurs!

Une belle surprise

Tu es vraiment un amant merveilleux. Dévoué, sensible et attentif à mes besoins. Depuis tout ce temps que nous sommes ensemble, tu n'as pas cessé de m'étonner, tu arrives encore à me surprendre, comme en cette soirée mémorable...

Nous venions de terminer notre dîner copieusement arrosé d'un excellent vin, ta seconde passion dans la vie, après moi, bien sûr. Comme toujours, le vin a un effet spécial sur moi, je deviens ricaneuse, mais, surtout, chatte. Et toi, tu deviens très… espiègle, amoureux et sexuel. Une atmosphère que nous créons volontairement, en toute conscience, et que nous apprécions.

Nous étions dans le salon, assis sur le *lover*, bien collés. Tes mains avaient trouvé depuis longtemps mes petits seins et tu en agaçais les mamelons. Je n'aime pas toujours cette façon que tu as de les pincer parfois, cette région est très sensible, mais ça ne t'a jamais vraiment arrêté. J'ai compris depuis belle lurette que tu prends plaisir à me faire un peu mal. Subtilement, tu m'as suggéré d'aller dans notre lit pour nous « amuser », un terme que tu utilises plutôt rarement en pareils moments. J'ai accepté, sans aucun doute sur tes intentions. Nos petits préliminaires sur le *lover* m'avaient excitée et j'étais maintenant disposée à aller plus loin.

Nos vêtements n'ont pas tardé à atterrir sur le fauteuil, dans le coin, et c'est à ce moment que j'ai vu le lit déjà défait, chose tout de même inhabituelle, mais, comme le vin m'avait engourdie un peu, je n'ai pas eu le réflexe de te demander pourquoi. Tu étais si tendre et si doux. Nos corps nus et chauds étaient moulés l'un dans l'autre à la perfection. J'étais sur le dos, toi évidemment sur le dessus. J'avais peine à respirer… En fait, tu tentais de détourner mon attention, mais je ne le savais pas encore.

Tu as emprisonné mes bras au-dessus de ma tête, tout en continuant à m'embrasser, et soudain j'ai compris ce que tu allais faire : tu allais m'attacher. Je l'ai su à l'instant où j'ai senti le foulard sur mon poignet gauche. J'ai trouvé l'idée si merveilleuse que je n'ai pas résisté et je t'ai laissé poursuivre ton manège. C'était très excitant, finalement, d'être à ta merci.

Tu pouvais maintenant faire de moi ce que tu voulais. J'ai eu peur pendant quelques secondes que tu me fasses souffrir, mais, te connaissant, mon insécurité n'a pas tardé à se dissiper. J'avais raison de ne pas m'inquiéter, tu es devenu beaucoup moins tendre, mais pas assez pour me faire mal.

Je trouvais la situation tellement enivrante que je sentais le désir monter en moi de plus en plus. Cette relation de dominée à dominant m'enthousiasmait beaucoup. Je sentais mon jus de plaisir mouiller mes orifices charnels et, en même temps, le fait que tu étais au-dessus de moi me permettait de sentir ta verge bien raide me frôler l'entrecuisse. Voilà, mon chéri, j'étais à ton entière disposition !

Surtout, fais-moi jouir, ai-je pensé tout bas. Souhait, bien entendu, que tu n'avais pas besoin d'entendre... Puisque cela faisait partie de tes plans! Je sentais la fièvre du plaisir dans mon bas-ventre. J'étais tellement excitée que j'aurais pu jouir ainsi, je crois, sans que tu me touches. Mais ce n'est pas ce que j'espérais, et toi non plus.

Tu continuais de m'embrasser sauvagement, tes mains me caressaient brusquement puis tu t'es mis à me mordiller les mamelons et j'ai paniqué un peu. Je ne voulais pas que tu me fasses mal, j'avais peur. Je ne connaissais pas ce sentiment, j'éprouvais un mélange de peur et de plaisir, difficile à expliquer. Ta bouche se faisait de plus en plus gourmande, tu avais embrassé mon ventre et maintenant tu mangeais ma chatte avec avidité, un vrai délice. Ta langue experte chatouillait ma fente et tu t'arrêtais pour prendre entre tes dents mon clitoris devenu ultrasensible. J'étais tellement près d'atteindre l'orgasme que je t'ai supplié de cesser tes caresses, afin de retarder ma jouissance, et tu as obtempéré.

Tu as ensuite remonté sur moi et tu as exigé que je te suce. Je l'ai fait. Sans rouspéter, car c'est une caresse que j'aime te procurer et que j'aime pratiquer. Je ne pouvais pas me servir de mes mains, mais tu menais le bal de façon très expérimentée.

Tu forçais ton pénis à entrer au plus profond de ma gorge. Tu étais dur, chaud, tu étais parfait ! Puis, tu t'es retiré de ma bouche et tu es redescendu en te frottant au passage partout sur moi.

D'un mouvement brutal, tu m'as pénétrée avec ton membre droit et fier. Tu t'es mis à me besogner, chacune de tes secousses était forte, profonde, calculée. Tu étais un partenaire merveilleux.

J'ai écarté les jambes encore plus pour te faciliter la tâche. J'étais dominée par un étalon en rut, bien décidé à faire gicler sa semence en moi. J'avais toujours les bras liés, je me sentais ton esclave, ta pute, et j'étais tellement mouillée que tu glissais en moi aisément. Chaque fois que tu heurtais mon clitoris, je sentais le plaisir augmenter et j'allais jouir dans quelques secondes, je le savais maintenant. J'ai senti ton mouvement s'accélérer, toi aussi tu prenais plaisir à ce petit jeu que tu avais initié.

L'orgasme fut commun. Nous avons joui en même temps. Tu étais content de toi, moi aussi j'étais contente. Ce fut vraiment une belle expérience. C'était bien que je ne sois pas au courant, que tu me surprennes.

Un amant mystérieux

Nous avions presque fini la seconde bouteille de vin. Le souper s'était bien déroulé, nous avions parlé de choses et d'autres. Nous avions découvert que nous avions beaucoup de points communs. Il m'avait même aidée à ramasser la vaisselle, quel gentleman!

Je venais de m'asseoir sur le sofa et il est venu me rejoindre. Il s'est assis si près de moi que sa cuisse frôlait la mienne. Je pouvais sentir la chaleur de son corps à travers mon jeans. J'étais occupée avec la télécommande de la télé, et il semblait m'observer. J'ai senti son bras se poser doucement sur mon épaule. Le rapprochement était prévisible, nous le savions tous les deux. La tension était palpable, je sentais le désir au bas de mon ventre, et je crois que j'ai fait le tour des chaînes de télé au moins trois fois. Je ne voyais rien, en fait.

Richard était un mec bien. Je l'avais rencontré au travail, nous étions tous les deux libres et une attirance mutuelle s'était installée.

J'ai finalement déclaré qu'il n'y avait rien d'intéressant. Il m'a retiré la télécommande et la coupe presque vide des mains, les a déposés sur la table basse, puis m'a dit :

— Je crois que nous pouvons, à nous deux, trouver quelque chose de beaucoup plus intéressant à faire…

Il a approché son visage du mien et nos lèvres se sont rencontrées avec douceur au début…, puis ses mains se sont approprié mon corps avec détermination. Le baiser s'est intensifié, nos langues se sont emmêlées avec fougue. Le rapprochement s'est fait rapidement. On aurait dit deux adolescents qui s'embrassent pour la première fois.

La passion est montée. Ses mains se baladaient et s'insinuaient de plus en plus dans des endroits intimes. Je me suis ouverte sans peine, le vin aidant. Il en a profité. Je ne sais trop comment, mais je me suis retrouvée étendue sous lui. Je sentais son membre durci à travers son pantalon, puis j'ai eu envie de le toucher, ce que j'ai fait avec tendresse. Nous étions maintenant à un point de non-retour. Nous savions très bien tous les deux ce qui allait suivre. J'ai jugé qu'il était peut-être temps de suggérer d'aller dans mon lit, car nous y serions plus à l'aise.

Il s'est levé d'un bond, me poussant en direction de la chambre. Nos lèvres se sont retrouvées rapidement. Il continuait de m'embrasser pendant que je reculais; il me poussait vers le lit, à quelques pieds de nous.

Puis, il a retiré sa chemise en deux temps, trois mouvements. À la vue de son torse, mon désir a monté d'un cran. Il me regardait avec tendresse et ses mains jouaient dans mes cheveux; les baisers ne s'arrêtaient pas. J'ai défait moi-même la ceinture de son pantalon; de son côté, il tentait de me retirer mon chemisier... Je l'ai aidé et je me suis retrouvée en soutien-gorge... Je me suis étendue sur le lit, il m'a rejointe. Nos souffles étaient intenses, nos langues et nos mains très actives.

J'ai glissé mes mains dans son slip et, en quelques secondes, il a disparu ! Son membre m'est apparu bien raide et bien droit. Il avait un beau pénis, bien bandé. Il s'est couché sur le dos, l'invitation était claire… J'ai enfilé son pénis dans ma bouche ; il était gros, prêt à exploser. Pendant que je m'activais avec désir, il m'a retiré le peu de vêtements qu'il me restait en un instant. Je me suis retrouvée au-dessus de lui, la chatte sur sa bouche, mes jambes entourant sa tête, une excellente position 69…

Je l'ai sucé avec avidité, en de lents va-et-vient, ma salive aidant… Je pouvais sentir sa langue fouiller ma fente mouillée, s'arrêter sur mon clitoris gonflé de désir, il faisait vraiment bien la chose.

J'espérais qu'il en dirait autant au sujet de ma performance. J'ai eu peur de jouir trop vite, aussi me suis-je interrompue. Il m'a interrogée du regard… J'ai dit que j'avais peur de jouir tout de suite et que je voulais que ça dure…

Il m'a poussée sur le dos et m'a pénétrée avec raideur, d'un seul coup. Il était incroyablement bandé, il était gros, mais j'étais tellement mouillée qu'il a glissé en moi facilement. Il a entrepris un mouvement lent et contrôlé, je pouvais sentir une certaine hésitation, car lui aussi était excité au maximum. Il prenait de petites pauses, puis recommençait... J'ai eu trois orgasmes avant que sa semence gicle en moi.

Ce fut merveilleux. Il y avait longtemps que je n'avais pas fait l'amour avec autant de tendresse, de désir et surtout de passion. On s'est écroulés, collés l'un contre l'autre... et je me suis endormie. Au milieu de la nuit, je me suis fait réveiller par une bouche avide, une langue qui fouillait ma fente avec douceur.

Je l'ai laissé faire. J'ai eu un autre orgasme. Ensuite, il m'a encore pénétrée et ce ne fut pas long... Il a choisi d'éjaculer sur mon ventre, et c'était vraiment excitant de sentir ce liquide chaud sur moi. Il m'a alors demandé de me frotter partout avec son sperme, surtout sur les seins. J'ai accédé à sa demande, que je trouvais étrange, mais tout de même excitante. Il m'a observée pour ensuite me demander de me mettre à quatre pattes, et de lui présenter mon derrière. En fait, ce n'était pas vraiment une demande : j'ai senti cela plutôt comme un commandement.

Malgré son ton autoritaire, j'ai eu envie de lui obéir sans sourciller. J'ai senti qu'il me mettait de la salive sur l'anus, ses mains écartaient bien mes fesses et j'ai compris. J'ai su ce qu'il voulait. Je me sentais collante de partout, le sperme avait séché sur moi. Je sentais le sexe.

J'ai senti sa pénétration anale très lente ; il s'est fait tendre et j'ai eu l'impression qu'il ne voulait pas me blesser. Il ne m'en avait pas demandé l'autorisation, mais il agissait avec respect. Qui ne dit mot consent… n'est-ce pas ? Ce fut long, mais si délicieux ! J'étais pleine à craquer, il était gros en moi, raide et bien en place. Il bougeait à peine, mais c'était bon. Il restait là sans bouger, savourant chaque seconde… puis je l'ai entendu me dire :

— Je ne bougerai pas pendant un moment, ainsi tu pourras te détendre un peu et ça va faire moins mal quand je vais me remettre à bouger… Tu vas bien ?

J'ai répondu que oui. Il m'a agrippée par les cheveux et m'a tiré la tête en arrière.

— Ma belle, je vais t'emmener au septième ciel ! Tu vas adorer ça…

Puis j'ai senti un chatouillement au niveau vaginal, il m'avait inséré quelque chose, comme une petite boule. Je ne savais pas, parce que je ne pouvais pas voir, mais je pouvais sentir. Cette sensation était divine, j'étais à sa merci, il pouvait faire de moi ce qu'il voulait maintenant. Ce sentiment était vraiment excitant, ajouté à l'étrange objet dans mon vagin et à son immense (c'est l'impression que j'en avais) membre dans mon anus. C'était le comble de l'extase.

Lorsqu'il a commencé à bouger, ce fut de courte durée, quelques coups seulement, et je vis des ÉTOILES ! En majuscules, car c'était superbe, extraordinaire… je n'ai pas de mots. Jamais de ma vie je n'ai eu un tel orgasme. Ce fut tout simplement magique. J'ai cru que j'allais perdre conscience, tellement la sensation était forte. Lorsqu'il a eu un orgasme à son tour, j'ai senti la chaleur de son liquide en moi. Cet orgasme, en plus d'être spécial, fut plus long que d'habitude. Quand ce fut terminé, il s'est retiré et a enlevé l'étrange objet de mon vagin. Lorsque j'ai demandé à le voir, il a refusé. Le mystère demeurerait entier ! Beaucoup plus excitant ainsi !

Ce fut une nuit que je ne pourrai jamais oublier. Par la suite, une relation très spéciale s'est développée entre nous ; il avait le don de me surprendre tout le temps. Il adorait les accessoires, un aspect du sexe que j'ai découvert avec lui. Il appréciait particulièrement l'anus, qu'il aimait agacer, chatouiller, pénétrer avec d'étranges objets. Un jour, il m'a inséré un collier de petites boules, tout en me mangeant la chatte. Il tirait de temps en temps sur le collier pour en faire sortir des boules, et encore une fois j'ai vu des ÉTOILES!

Une autre fois, m'ayant attachée aux barreaux du lit, il m'a bandé les yeux avec un foulard, puis il m'a inséré plein d'objets dans mes orifices, tantôt vibrants, tantôt froids, tantôt chauds. Lorsque j'étais sur le point de jouir, il cessait tout manège et me laissait me reposer avant de recommencer de plus belle. C'était merveilleux. Je ne sais pas pourquoi, mais il réussissait à me faire faire ce qu'il voulait. J'avais toujours envie de lui obéir. Il avait beaucoup d'imagination et trouvait toujours le moyen de me surprendre.

Notre relation a duré presque deux ans. Un jour, il a voulu que je partage nos jeux sexuels avec un couple d'amis à lui. Je n'ai pu me résoudre à l'échangisme et cela a provoqué notre rupture.

Aujourd'hui, il m'arrive parfois de fermer les yeux, de me souvenir de ce temps-là et d'y prendre plaisir...

Soirée dégustation

J'ai trente-deux ans et je suis marié depuis cinq ans avec ma belle Isabelle. Nous aimons la nature et les sports de plein air. Nous avons déjà fait du camping d'hiver, et le froid ne nous a jamais empêchés d'avoir de belles expériences sexuelles. C'est excitant, dormir à deux dans le même sac de couchage !

C'était au mois d'avril, nous étions allés avec des amis dans une érablière typique ! Le propriétaire fabriquait son sirop d'érable selon l'ancienne méthode, comme son grand-père le lui avait enseigné. Ce fut une merveilleuse journée. Il faisait beau, la bonne humeur était au rendez-vous, et les quelques verres de *réduit* (fameuse recette familiale d'eau d'érable chaude et de rhum) nous avaient tous plongés dans un état euphorique. Nous sommes tous partis en fin de soirée, un peu amochés d'avoir abusé du rire et de la tire, emportant des produits de l'érable qui nous garantissaient d'autres dégustations sucrées!

Le week-end suivant, j'ai eu une brillante idée: offrir à ma femme une partie de sucre, mais à ma manière. De quoi je parle? Eh bien, voici...

J'ai d'abord préparé le terrain. Chandelles, musique appropriée, puis j'ai enfilé mon plus beau slip de satin sexy, offert par ma douce à Noël... Je me suis rasé de près, j'ai mis de l'après-rasage pour sentir bon... Enfin, tout pour faire plaisir à mon épouse adorée.

Isabelle était au rez-de-chaussée, en train de regarder la télé. Elle a fini par me demander, de loin, ce que j'étais en train de manigancer là-haut. Je l'ai alors invitée à me rejoindre, lui disant qu'il s'agissait d'une surprise, afin de piquer sa curiosité et de m'assurer sa coopération.

L'expression sur son visage, quand elle est entrée dans la chambre, aurait bien valu une photo! J'avais réussi à l'épater! J'étais très fier de moi. Quel merveilleux mec je devenais...! Je l'entendais déjà raconter et vanter mes exploits à ses copines au téléphone!

— Mon chéri! Qu'est-ce que c'est que tout ça? Ce n'est pas notre anniversaire!

Comme s'il fallait attendre un événement spécial pour s'amuser et se faire plaisir!

— Je sais que tu aimes beaucoup le chocolat, mais j'ai pensé que tu préférerais ceci.

Du coup, je lui montre la bouteille de sirop d'érable.

— Je ne comprends pas... C'est le sirop que nous avons acheté la semaine dernière?

— Oui, ma belle, c'est la soirée idéale pour y goûter comme il se doit. Tu devrais te mettre plus à l'aise, ma chérie...

Elle avait compris le message. Son sourire en disait beaucoup. Ses vêtements ne tardèrent pas à s'entasser par terre. Bien que nous nous connaissions depuis sept ans, j'étais encore ému de la voir complètement nue. Elle était si belle! Des seins bien ronds, parfaits. Une taille fine, de fortes hanches, et des jambes… des jambes à couper le souffle. Musclées, bien droites et bronzées.

Elle a retiré la pince qui retenait ses cheveux, qui ont échoué sur ses épaules. Ce geste m'a fait un tel effet… La bosse dans mon slip en témoignait.

Elle s'est avancée vers moi pour me le retirer. Mon pénis bien bandé a produit un petit son mat en venant frapper mon ventre plat. Son visage était à la même hauteur, Isabelle s'étant agenouillée devant moi. Elle m'a regardé et m'a demandé :

— Alors, ce sirop, j'ai bien hâte d'y goûter !

Puis l'expérience la plus sublime a commencé. J'ai versé un peu de sirop sur mon membre et le nectar a coulé tout autour, sur mes cuisses et mes testicules. Par accident, Isabelle en a même reçu sur le nez. Nous avons éclaté de rire. C'est alors qu'elle a entrepris de lécher le sirop avec gourmandise. Elle prenait tout son temps. Sa langue chaude allait de bas en haut, puis de haut en bas ; elle furetait avec délectation. De temps en temps, mon pénis disparaissait dans sa bouche aux lèvres pulpeuses. C'était tout simplement délicieux ! Ensuite, après avoir demandé à Isabelle de s'étendre sur le lit, j'ai repris la bouteille magique et lui ai versé du sirop d'érable sur les seins.

J'ai pris tout mon temps, moi aussi, pour lécher cette sève partout. Je suçais ses mamelons en titillant le bout bien dressé par l'excitation. Mais elle voulait autre chose. Elle a saisi la bouteille à son tour et s'est versé du sirop dans l'entrecuisse. Je me suis précipité vers cet endroit paradisiaque. J'ai exploré sa vulve lentement, ma langue s'amusant parfois tendrement, parfois fermement sur son bouton de plaisir, descendant jusqu'à l'anus où le sirop s'était trouvé un chemin pour échouer sur les draps.

J'ai introduit ma langue dans cet endroit très intime, le goût sucré mélangé à l'odeur de la chair, mmm... c'était délicieux. Nous étions à un stade d'excitation très élevé. Nous avons fait durer ce plaisir pendant des heures. Finalement, nos corps se sont unis pour un orgasme ultime. J'ai relevé ses jambes sur mes épaules et, après m'être enduit la verge de sirop, j'ai tenté de pénétrer ce lieu si étroit. Je lui ai mis un doigt dans le vagin, le pouce sur le clitoris, et j'ai poussé... Elle a hurlé, c'est un endroit qu'elle me réserve si rarement mais, ce soir, j'avais obtenu son consentement. Elle m'a traité de salaud. Ça nous a excités encore plus. J'ai repris la bouteille pour verser ce qui restait de sirop sur les seins d'Isabelle.

De mes deux mains je me suis mis à frictionner ces superbes boules de plaisir, tout en maintenant le rythme d'un léger et lent va-et-vient si bon. Je voulais qu'elle jouisse en premier cette fois, ce qu'elle fit. Le moment d'extase arrivé, elle a hurlé comme jamais auparavant. Elle m'a même frappé durant l'orgasme. Ensuite, j'ai pris mon plaisir, je n'arrivais plus à me retenir, j'étais gonflé à bloc. Deux ou trois coups ont suffi à me faire éclater. Ce fut magnifique. Nous nous sommes affaissés sur les draps entièrement gommés, collés, sucrés! Il a fallu que nous prenions notre douche, mais quelle expérience extraordinaire!

Quelques semaines plus tard, ma belle-mère, qui habite hors de la ville, nous a rendu visite. Elle aime bien nous faire des crêpes le dimanche matin, mais il ne restait pratiquement plus de sirop d'érable...

— Eh bien, dit ma belle-mère, je croyais que vous en aviez acheté une tonne à la cabane à sucre! Qu'en avez-vous fait?

Nous nous sommes regardés avec un sourire complice et j'ai répondu:

— Vous savez, Isabelle et moi aimons tellement cela que nous en mettons partout, partout, partout!

Isabelle a éclaté de rire. Ma belle-mère, elle, n'a rien compris...

Table des matières